О ВРЕМЕНИ И О СЕБЕ

Лев
Дуров

Грешные
записки

Лев Дуров

Грешные записки

Москва

 Алгоритм

1999

УДК 882 - 94
ББК 84. Р7
   Д 84

Дуров Л.К.

Д84   Грешные записки.
Цикл «О времени и о себе», М., «Алгоритм», 1999. — 288с.

Эта книга — воспоминания о наиболее интересных эпизодах из жизни автора и его друзей. В Англии Льва Дурова назвали «трагическим клоуном», и он очень дорожит этим неофициальным званием. Может поэтому в книге удивительным образом переплетаются трагические события с историями юмористическими, буффонадными и зачастую анекдотическими. В этом — весь Дуров.

ISBN 5-88878-022-7

ВАС ПРЕДУПРЕЖДАЛИ!

«Аще где в книге сей грубостию моей пропись или небрежением писано, молю вас: не зазрите моему окаянству, не клените, но поправьте, писал бо не ангел Божий, но человек грешен и зело исполнен неведения».

Вот так древнерусские книжники заранее оправдывались перед будущими читателями за свое «окаянство». Лучше не придумаешь! На Руси никогда лежачих не били. Поэтому я, не мудрствуя лукаво, решил использовать эту спасительную для автора форму как свою собственную. Имею на это абсолютное право, потому как полностью с ней согласен. На любое возражение готов ответить своим гениальным однострочным стихотворением:

Я негодяй, но вас предупреждали!

Впрочем, о стихах потом. Сначала о прозе. Сейчас все пишут. Даже те, кто вообще не умеет писать и давно уже успел забыть, где ставить подлежащее, а где — сказуемое. Я тоже не уверен, что сохранил в своей памяти такие мелочи из школьной программы.

Поэтому постоянно напоминаю об этом всем, кто надоел мне одним и тем же вопросом: «Ты пишешь книгу? Ты пишешь книгу?»

Ребята, говорю, черт вас возьми,— я не умею писать! Я не писатель! Я — актер, и мне нравится моя профессия. Что вам еще от меня надо? Я даже не каждую роль и сыграть-то могу. Не могу же я, к примеру, сыграть Джульетту, хотя уверен, появись театральная афиша, где черным по белому было бы написано: «ДЖУЛЬЕТТА — ЛЕВ ДУРОВ», народ бы валом повалил на спектакль! В проходах бы места не осталось...

Но это уже был бы цирк. Совсем другая история.

И тогда мне напомнили:

— Послушай, скромник, а как же быть с теми рассказами, которые ты написал и которые собираются напечатать в Америке?

Черт меня дернул написать эти рассказы! Действительно, я как-то сгоряча написал несколько небольших рассказов и баек и просил воспринимать их не как нечто поучительно-назидательное, а просто как забавные истории, свидетелем или участником которых был сам. Когда я был в Америке, ребята из русскоязычного роскошного «Королевского журнала» попросили их у меня, и я им не отказал. А в Прибалтике у меня попросили что-нибудь для книги «Актеры пишут». И им я не отказал. Вскоре они мне и гранки прислали.

Нет, с этими рассказами одна морока!

— Ребята,— говорю я своим доброхотам, которые услужливо подсовывают мне авторучку,— после этих рассказов Виктор Астафьев вообще запретил мне писать!

— Почему?

— А потому!

Случилось так, что дал я эти гранки с рассказами художнику-фронтовику Евгению Капустину, а тот в свою очередь решил поделиться драгоценным приобретением с Виктором Петровичем Астафьевым, который улетал к себе на родину, в Красноярск. Проходит какое-то время, звонит мне Виктор Петрович из Красноярска и хохочет.

— Тут,— говорит,— Капустин дал мне на дорожку твои рассказы, мы читали их и так хохотали, что чуть самолет не перевернули.— Потом успокоился немного и добавил: — А ты никогда больше не пиши: графоманов и без тебя хватает.

Потом, когда я рассказал Капустину об этом телефонном звонке, он успокоил меня:

— Это Петрович от зависти. А ты пиши, пиши.

Не скрою, это меня взбодрило. Не настолько, конечно, чтобы сразу же приняться за сочинение эпопеи наподобие «Войны и мира», но, как сказал поэт: «все же, все же, все же...»

А тут еще лукавый ввел меня в соблазн поэтического творчества. Схлестнулся я как-то в Доме журналистов с В. Вишневским, который пишет потрясающие одностишия, и так, без обиды, по-товарищески говорю:

— А я тоже могу!

А он мне:

— Ой-ой-ой!

— Ну давай,— говорю,— любую тему.

— Ну, война,— предлагает он мне.

— Пожалуйста,— говорю.— «Я вскинул автомат, а он быстрее», «Схватился за «наган» и тут же вспомнил», «Война: добыча цинка возрастает». Хватит или еще?

— Да-а...

Чувствую, начинает относиться ко мне более серьезно.

— А про правительство можешь? — спрашивает.

— Пожалуйста: «Уж раз вы президент, так воздержитесь».

— Ну, а про себя?

— Пожалуйста: «Никто ко мне не ходит на могилу», «Я негодяй, но вас предупреждали!».

— Да ты и правда негодяй! Можно, я твои напечатаю как свои?

— Валяй!

Совсем не собирался срывать с головы гения лавровый венок. Меня вполне устраивает собственный головной убор: он хотя бы не бросается прохожим в глаза. Просто после моральной поддержки художника и признания поэтом моего поэтического дарования я в полной мере осознал всю справедливость народной мудрости «не боги горшки обжигают».

«Господи,— мысленно обратился я к Всевышнему,— укрепи и наставь меня на новом пути, по которому я пошел не из-за гордыни, которая мне глубоко чужда, а токмо из искреннего желания освободить своих товарищей от вопроса, который, чаю, надоел и им самим: «Ты пишешь книгу? Ты пишешь книгу?»

Вот, написал. И «не зазрите моему окаянству», ибо «вас предупреждали».

ЛЕФОРТОВО

Вряд ли имя швейцарца Франца Яковлевича Лефорта осталось бы в памяти москвичей, если б не слобода на левом берегу Яузы, где стоял триста лет назад полк этого сподвижника Петра Великого. Она так и называлась: Лефортовская слобода. А уж потом этот исторический район стали называть совсем просто: Лефортово. Вот там и прошло мое детство на 2-й Бауманской улице, старое название которой было не совсем благозвучным: Коровий брод.

Боже мой, в какую же даль завела меня память — на целых три века назад! Но что мне швейцарец Франц Яковлевич, если, отбросив еще страницу истории, длиною в век, я увижу своего предка, выборного дворянина из города Романова, который участвовал в избрании царя Михаила Федоровича — дедушки Петра Великого. Это уже 1613 год. Как сказано в Общем Гербовике Всероссийской империи, «фамилии Дуровых многие служили Российскому престолу дворянские службы и жалованы были от государей в 1629 и других годах поместьями».

Но об этом, конечно, в пору моего сопливого детства я и понятия не имел. Наверное, тогда так и надо было: меньше знаешь, дольше проживешь. Это сейчас все рвутся в дворяне, потому как нет никакого риска — никто тебя не назовет «недорезанным буржуем» и не попытается дорезать или донести, куда следует, чтобы приняли меры к искоренению.

Недавно ко мне в театр приходит один господин и спрашивает:

— Лев Константинович, а почему бы вам не вступить в наше Дворянское собрание?

И тогда я ему сказал:

— Если уж ты собираешь под свои знамена всех прохожих, так перелистай сперва Гербовик или хотя бы загляни в него. Его шестую часть занимает родословная потомственных дворян Дуровых. Тогда бы не было тебе нужды задавать мне глупые вопросы.

Я это говорю не из хвастовства: вот, дескать, какой я «потомственный». Просто неприятно наблюдать, как взрослые люди играют в детские игры: в дворян, в князей, в графинь, черт знает в кого еще! Видно, кому-то это льстит, тешит самолюбие или компенсирует какие-то нравственные изъяны. Нет, я этого просто не понимаю.

Я никогда не искал встреч со своими именитыми родственниками, не напрашивался к ним ни в братья, ни в племянники. Если уж говорить честно, я с ними познакомился довольно поздно и по чистой случайности.

Конечно, я с младых ногтей знал, что принадлежу к известной цирковой династии: отец же — Дуров. Когда я был еще маленький, в семье что-то говорили о цирке, но я не очень-то обращал внимание на эти разговоры. Мои родители не имели к искусству никакого отношения: мама работала в военно-историческом архиве, отец — во «Взрывпроме», где занимался мирными взрывами.

И вот однажды играю в одном доме отдыха в пинг-понг. Подходит высокий стройный красавец и говорит:

— Здорово, брат!

Я думал, что он шутит и отвечаю так же шутя:

— Здорово, брат.

А он мне:

— Лева, да я на самом деле твой брат!

Оказалось, это Пров Садовский. А со знаменитой артистической династией Садовских Дуровы в родственных отношениях: дочь Владимира Леонидовича Дурова, стало быть, моя тетушка Анна, когда вышла замуж за артиста Малого театра Прова Михайловича, то стала носить фамилию Дурова-Садовская.

Конечно, Прова как актера я не мог не знать, но никогда даже не предполагал, что он мой брат.

А с Натальей Юрьевной мы познакомились при довольно интересных обстоятельствах. Я пришел в Верховный Совет РСФСР получать звание Народного артиста. И вдруг подходит ко мне красивая женщина и неподражаемо приятным голосом говорит:

— Вот, брат, какой у нашей династии сегодня большой праздник...

Она в роскошном платье, но я улавливаю не только аромат дорогих духов, но и запах зверей. И тут я сообразил, что это та самая Наталья Дурова, которую я видел по телевизору. С этой минуты мы стали с ней близкими друзьями.

А еще чуть позже я познакомился с еще одной сестрой — Терезой Васильевной, обаятельной и отважной женщиной, которая прекрасно работала на манеже.

Мы все дружим, хотя, как ни странно, не знаю почему, но часто между цирковыми артистами не бывает такой однодинастийной дружбы. Ведь не секрет, что наши деды, великие клоуны Анатолий и Владимир, не слишком-то жаловали друг друга.

Я иногда задаю сам себе вопрос: почему выбрал театр, а не цирк? Видно, это тот случай, когда, не находя ответа, пытаешься все объяснить одним, ничего не проясняющим словом: судьба. А если серьезно, то, наверное, просто никто не позвал в нужный момент. Если бы кто-то поманил пальцем, я наверняка оказался бы в цирке. Может быть, даже униформистом — кто знает! Эта пресловутая судьба могла сложиться по-разному. Я ведь знаю: цирк — зараза такая же, даже страшнее, чем театр. Кто попадает в цирк, оттуда уже не уходит. А если уходит, то по каким-то трагическим обстоятельствам. Даже из одного жанра в другой переходят. Акробаты часто становятся иллюзионистами: физически уже трудно работать, а цирк они покинуть не могут. И на пенсию уходить не хотят. Их можно понять: с цирком очень трудно расстаться.

У меня с цирковыми отношения складываются мгновенно. Вот только увидел человека — бац и готово, и я уже влюбляюсь в него, и дружба навек. Наверное, бродят во мне эти цирковые гены, будоражат кровь и время от времени дают о себе знать.

Почему меня тянет к цирку? Почему моим любимым другом был Юрий Никулин? Почему мне постоянно хочется заехать к Наташе в «Уголок», просто посидеть там с ней, с ее помощниками? Чтобы тебя собачка укусила за ногу или попугай на голову накакал. Все это неосознанно приятно...

Я цирк просто обожаю. Мне там все нравится, начиная с запаха. Вот этот запах пота, опилок, навоза, зверей — он ни с чем не сравним. В театре совершенно другой запах. Кроме Театра зверей, конечно. Люблю побродить за кулисами цирка, и так как я — Дуров, меня не гонят. Люблю смотреть, как разминаются акробаты, как отдыхают в своих клетках звери.

Очень люблю коверных. Мне кажется, что если б я этим занимался, то был бы неплохим коверным. Когда я как-то выразил эту мысль Юрию Владимировичу Никулину, он поддержал меня:

— Да,— сказал он,— ты был бы хорошим коверным.

Но все это, как нынче говорят, в порядке бреда и предположений. Актер в цирке очень сильно отличается от актера в театре. Совсем другие и эстетические требования, и законы жанра.

Банальные слова, но цирк действительно поистине народное зрелище. Я обратил внимание, как иностранцы рвутся именно в цирк. И вот смотришь, сидит рядом и московская интеллигенция, и нью-йоркская, и лондонская. И тут же сидят рабочие, люди из провинции, крестьяне, детишки. И почти все получают одинаковое удовольствие.

Ну, может быть, я как профессионал улавливаю в репризах чуть больше, чем неискушенный зритель: ведь все эти неуловимые нюансы реприз и есть украшение действа. А кто-то смотрит просто широко раскрытыми глазами. Детскими глазами. Наверное, так и надо смотреть — наивно-доверчивым взглядом. Но, увы, уже не всегда получается видеть искусство детскими глазами...

Если говорить серьезно, то я думаю, что изначальные истоки театра следует искать в цирке. Когда-то, в незапамятные времена, на городской площади появлялся акробат и удивлял окружающую его толпу незамысловатыми гимнастическими упражнениями. Потом появились мимы, их сменили мистерии, а уж из мистерий, скорее всего, и родился театр Древней Греции. И все эти огромные греческие театры были построены, наверное, гораздо позже того, как на площадь вышел первый акробат.

Я заметил, что, если на сцене удается соединить трагизм с эксцентрикой, происходит эмоциональный разряд огромной мощи. Поэтому я часто использую в своих спектаклях цирковые элементы. У меня вот, скажем, в спектакле «Весельчаки» по Нилу Саймону работали акробаты братья Воронины. И в спектакле «А все-таки она вертится» и живые собаки бегали, и в руке актера огненный шар загорался, и НЛО летали. Мечтаю поставить спектакль с элементами цирка и эксцентрики. Надеялся на помощь Никулина, который мог бы подсказать мне какие-нибудь оригинальные трюки, остроумные репризы. Но, увы, уже и Юрия Владимировича не стало, а я все вынашиваю свою мечту...

Но как бы там ни было, эту мечту я все же претворю в жизнь. К этому меня обязывает почетное звание Трагический клоун. Да-да, есть у меня среди прочих и такое вот звание. И присвоили мне его не партия и не правительство — его я получил в Англии.

На Эдинбургский фестиваль мы привезли «Женитьбу» Гоголя, которую поставил А. В. Эфрос. И меня там в одной газетной рецензии назвали — всякие лестные эпитеты были, но Бог с ними,— «трагическим

клоуном». Это стало для меня высшей наградой. Подумал тогда: «О, как это замечательно, если это действительно так. И не нужно мне никакого другого звания. Все эти казенные «заслуженные», «народные» —
чушь!» Автор рецензии писал, что этот спектакль стоит посмотреть хотя бы из-за того, что в нем занят
«трагический клоун Лев Дуров». И для меня это звание стало самым высоким.

Я считаю Чарли Чаплина гением в нашем деле.
Ведь кто он такой? Трагический клоун! Я, конечно же,
не могу да и не хочу сравнивать себя с Чаплином. Но
если меня назвали так, значит чего-то я стою. Повторяю: это для меня самое почетное звание — Трагический клоун.

Но вернемся в Лефортово. В его военные годы. Все,
что было до войны, не представляло для меня ничего
значительного и быльем поросло. Так — детский лепет
с манной кашей пополам. С войной детство как-то
сразу оборвалось и наступила пора взросления. Появились новые слова, новые понятия. Рухнул привыч-
ный уклад спокойной, размеренной жизни, и она стала
угловатой, колючей, жестокой. К ней нужно было при-
выкать, и чем быстрее, тем лучше — для выживания.
Детские игры сменили взрослые обязанности.

Немцы были где-то рядом. Их авиация сбрасывала
на Москву фугасы, зажигалки. Но живых немцев, чтобы вот так — лицом к лицу — никто из нас еще не
видел. И вот я увидел одного из них. До тех пор фашисты для меня были абстрактным понятием. Пла-
катные карикатуры на них вывешивали в «Окнах
ТАСС», показывали, опять же в шаржированном виде,
в кинобоевиках и художественных фильмах — при-

дурошных, беспомощных, трусливых, которых полко-
вой повар Антоша Рыбкин крушил своей поварешкой
десятками.

А между тем эти «придурошные» стояли уже у ворот Москвы, и судьба ее висела на волоске. Вообще-то
несоответствие действительности и вымысла присуще
комедийным жанрам, но тогда москвичам было вовсе
не до смеха. И не только москвичам.

И вот я увидел его живого.

Мой немец

... Пасява, Вовка-Сопля и я лезли на крышу нашего
Лефортовского дворца по бесконечной пожарной лестнице. Но вот и крыша. Теперь надо осторожно ступать
там, где кровельные листы плотно прилегают к пере-
крытиям, чтобы не наделать шума. Если услышат
внизу, во дворе, не миновать хая:

— Куда вас черти занесли?! Слазь сейчас же!

Нам этого не нужно. На четвереньках подползли к
трубе и сели, прижавшись к ней спинами.. Рядом за-
манчиво зияет чердачное окно. На чердаке, конечно,
интересно, но мы туда не лазали. Как-то по нашему
двору водили экскурсию, и черт дернул экскурсовода
рассказать легенду о том, как умер Франц Лефорт и
что за этим последовало.

А умер он в самый разгар бала. Встал с бокалом в
руке, чтобы сказать что-то веселое, потому что улыбался и был счастлив, но вдруг рухнул навзничь и ис-
пустил дух. А было ему в ту пору немногим за сорок.
И вот после его кончины на чердаке дворца целую неделю стоял странный и непонятный гул. Суеверные

обитатели дворца в ужасе бросились вон. Но царь Петр, будучи мужиком крутым и безбоязненным, приказал всем вернуться. А чтобы не сеяли панику, велел для примера кое-кого высечь. Высечь, конечно, высекли, но гул-то от этого не прекратился.

Мы не лазали на этот чертов чердак. Нет, не потому что трусили, а просто ни у кого не было фонарика. А чего же лезть в черную паутинную пустоту, если ничего не увидишь!

Мы сидели у трубы и ждали. Скоро должен был начаться налет. Немцы прилетали с какой-то идиотской пунктуальной точностью. И начинали сыпать зажигалки. Это такие аккуратные бомбочки весом в один килограмм — длинные дюралевые тупорылые цилиндрики с зеленым стабилизатором. Сыпали их, как горох,— тысячами. Стукнется она тупым своим рыльцем и начинает разбрызгивать во все стороны, как новогодний бенгальский огонь, жидкое белое пламя. И все, что может гореть,— горит. А пожар — это страшная вещь. Как нам объяснили, пожары деморализуют население. Мы понимали значение этого заковыристого слова, но правильно произнести его никто из нас не мог.

Так вот за этими бомбочками мы и охотились. Только услышишь удар по крыше — бегом туда. Заходишь со стороны стабилизатора, берешь рукой — и в ящик с песком. Она еще немного пофыркает, повоняет и умрет. И это твой трофей. Больше всех бомб было у Вовки-Сопли — семнадцать. И мы ему завидовали. Он был длинноногий и ухитрялся прискакать к бомбе быстрее всех. Зато у него был насморк.

Так мы сидели и молча ждали. А внизу тощий кот, звали его красиво — Грот, черный, с оторванным ухом, прижимаясь к земле и поруливая хвостом, крался к воробьиной стайке. Голубей к тому времени в Москве уже не было — их съели. Вдруг воробьи с громким вспорхом метнулись в сторону и улетели. Грот поднялся и долго тупо смотрел на то место, где только что копошилась стайка.

Мы тихо засмеялись. И в это время из-за дома неожиданно вынырнул самолет. Он летел, почти касаясь крыш выпущенными шасси. Немец! Со всеми своими крестами! Он летел очень медленно. Было отчетливо видно круговое вращение пропеллера. Самолет приближался, и вот он уже совсем рядом. И тут я увидел пилота. Он повернул голову в нашу сторону и встретился со мной взглядом. У него было длинное красивое лицо. И он вдруг весело улыбнулся и подмигнул мне левым глазом. Я почувствовал, как мое лицо стало багроветь и раздуваться. В виске что-то сильно стукнуло, и голову пронзила резкая боль.

Я уже испытал такое однажды. Ехал из школы на подножке трамвая, а рядом стоял подвыпивший мужик. Я старался его придержать, чтобы он не свалился. Он улыбался. А когда сошли на остановке, он неожиданно фальшиво выкрикнул:

— По карманам лазишь, гаденыш?! — И наотмашь ударил меня по лицу.

А вокруг молча стояли и смотрели люди. По-моему, они все видели и все понимали, но никто не сказал ни слова. Никто даже не двинулся с места. Мужик повернулся и пьяной разбитной походочкой пошел прочь.

И тогда со мной случилось это. Я долго шел за мужиком, ничего не соображая. Шел и все. Глядя в его квадратный затылок. Его счастье и мое, конечно, что не попался по дороге булыжник или какая-нибудь железяка. В конце концов я остановился и сильно выдохнул. Наверное, устал от напряжения. Зашел в какой-то пустой двор и долго плакал в углу.

Когда я увидел улыбающееся лицо немецкого пилота, со мной произошло то же самое. А самолет стал набирать высоту, потом завис на мгновение и, накренившись, рванул вниз.

— Пи-ки-ру-ет! — заорал Пасява.— На госпиталь!

Раздался страшный грохот, зазвенели стекла, нас горячей волной прижало к трубе. И тут же наступила гнетущая тишина, которую, впрочем, тут же разорвал истошный вопль коменданта.

— Черти! Куда вас занесло! — орал он снизу.— Дуров, это ты там? Слезайте все! Шкуру с задниц спускать буду!

Но все обошлось, и «тылы» наши остались в неприкосновенности. Немец промазал. Бомбы попадали в Яузу и задели только парапет набережной. Правда, одна бомба все же упала во двор госпиталя, но, к счастью, осколки никого не задели.

А у меня появились неприятные сны. Сначала один — голодный. Издалека на меня летит огромная краюха хлеба, летит с ужасным гулом, а вокруг нее, как спутник вокруг Земли, вращается расписная деревянная ложка. Я вздрагиваю и просыпаюсь. В холодном поту, конечно. Этот сон снился мне так часто, что чуть не доконал меня.

Теперь к этому сну добавился еще один — «мой немец». Крутится пропеллер, все быстрее и быстрее, и выплывает лицо немецкого летчика — длинное и красивое. Он улыбается и подмигивает мне левым глазом. В висках у меня начинает стучать. Я просыпаюсь и чувствую, как лицо мое пылает от беспомощности, злобы и стыда. И этот сон стал мучить меня каждую ночь. Как я его ненавидел — «моего немца»!

А потом то ли в газетах было сообщение, то ли слух прошел (а в Москве, как известно, слухам надо верить), но всем вдруг стало известно, что по улице Горького и Садовому кольцу с вокзала на вокзал проведут колонну военнопленных в двадцать три тысячи человек.

Такое пропустить было нельзя. И рано утром мы двинулись из Лефортова в путь: Пасява, Вовка-Сопля и я. На Садовом было не пробиться, и мы сразу же потеряли друг друга. Протискиваясь сквозь толпу, я искал место поудобнее и повыше. И тут мне кто-то положил на макушку тяжелую руку.

— Швейк, а Швейк, как жизнь?

Я обернулся и сначала увидел «иконостас». Тут было все: пять нашивок за ранения, две из которых золотые — за тяжелые, две «Отечественных войны», «Красная звезда», две «Славы» и «За отвагу». Выше — старшинские погоны, а еще выше — незнакомое курносое веселое лицо. Из-под фуражки — лихой чуб.

— Как жизнь, спрашиваю, Швейк?

— Гут,— ответил я.— Зер гут. А Гитлер — капут.

— Ну ты даешь! Лезь сюда! — И он сильной рукой зашвырнул меня на столб от ворот.

Ворота и заборы в Москве все сожгли, а вот столбов не тронули; наверное, чувствовали, что им еще служить да служить.

— Ну как там? Как НП?

— Хорошо!

— Ну и сиди, Швейк, докладывай!

Стало тихо. И вдруг издалека возник и стал нарастать какой-то странный незнакомый звук. Даже не звук, а какое-то созвучие. И показалась первая колонна. Впереди шли генералы и высшие офицеры в длинных плащах и темных очках. Они шли, глядя прямо перед собой. А за ними длинной серо-зелено-голубой лентой потянулась немецкая армия. Солдаты, обвешанные опаленными на кострах котелками, как-то неуверенно и жалко громыхали толстыми подошвами по мостовой. Этот грохот сливался в один монотонный печальный звук. И на этом шумовом фоне гордо и уверенно ступал подкованными сапогами конвой да звонко цокали копыта лошадей, на которых с обнаженными шашками чуть небрежно сидели казаки. А немцы все шли и шли...

И вдруг в виске у меня что-то резко стукнуло. Да, точно! Крайний в третьем ряду — он! «Мой немец»! Я впился в него глазами. Видно, он почувствовал это и повернул голову в мою сторону. Наши взгляды встретились. Я ждал... Длинное красивое лицо. Неужели он сейчас... Я ждал... Нет — он не улыбнулся! Отвернулся и опустил голову. И тогда я заорал:

— Ты, ты!.. «Мой немец»! Что же ты не улыбаешься? А?! Что же ты не подмигнешь?!

Он не обернулся. Его колонну сменила другая. Они прошли все.

— Прыгай!

Я свалился вниз, опершись на сильную руку. И тут только увидел, что левый рукав у старшины пустой — подвернут и аккуратно заколот булавочками.

— Ну ты даешь, Швейк! Приятеля увидел?

— Да, я его знаю.

— Ну ты даешь! Ты артист, ей-богу, артист!

А в это время вслед уходящим колоннам двинулись поливальные машины, и их широкие струи весело играли с солнцем. Старшина, позванивая медалями, держал меня своей единственной рукой за плечо и от души хохотал.

— Швейк, да ты артист! Ей-богу, артист! Неохота с тобой расставаться!

— Мне тоже.

— Эх, Швейк, вот бы нам с тобой на передовую! Мы бы... Прощай, артист.— И пошел вниз по Садовому.

Смешно, но скоро во дворе меня стали звать Швейком, а потом я стал артистом. А все этот незнакомый старшина с пустым рукавом.

Но на этом история с «моим немцем» вовсе не закончилась.

После войны наш Лефортовский дворец реставрировали пленные. Их привозили в крытой грузовой машине, выстраивали, а потом распределяли на работу. Они чистили белокаменные пилястры, белили стены, что-то подштукатуривали. Конвоировали их чисто условно, для вида. Они разговаривали с нами, заходили в квартиры.

Вот в прихожей раздается звонок. Мама открывает дверь. На пороге двое или трое.

— Вассер...

Просят пить. Но мы-то все понимаем: они всегда голодные, хотя их кормили так же, как наших заводских рабочих по карточкам. Видно, в отличие от русского их немецкий желудок не привык к пайковой системе, к периодическим голодным годам и постоянному недоеданию. И к чему бы это им хотелось все время пить, на голодный-то желудок?

— Садитесь,— говорит мама.

Они садятся к столу, и мама наливает им суп и режет хлеб, который мы получаем по карточкам. А они, сняв пилотки (такие знакомые эти пилотки), молча едят. А мы смотрим на них.

Я уже знаю, что этот молодой, с надоевшим до тошноты именем Фриц,— из Дрездена. Учился в «шуле». А тут тотальная мобилизация, и попал он в зенитную батарею. Мешая русские слова с немецкими, рассказывал он, как американская воздушная армада за какой-нибудь час оставила от города один щебень.

— Ад! Ад! — повторял он и хватался руками за голову.

А этот угрюмый — крестьянин, «бауэр».

Они ужинают, а мы смотрим на них.

А потом их не было целую неделю. И мы решили, что их перевели в другое место. И вдруг звонок. На пороге Фриц, «бауэр» и сзади маячит какой-то новенький.

— Вассер...

— Входите, садитесь.

Третий шагнул в кухню из темноты... В виске моем опять сильно стукнуло, но сразу стихло. Это был «мой немец».

Они сели к столу, и я стал наливать в стаканы молоко. Рука не дрожала. Нарезал хлеб. Спокойно! «Мой немец», глядя в пол, машинально взял кусок хлеба, подержал в руке и положил на стол. «Бауэр» о чем-то спросил его. «Мой» тихо и коротко ответил. «Бауэр» взял его стакан и выпил, а хлеб положил в карман.

— Данке зер.

И двинулись к двери. Последним встал «мой». Дошел до порога и резко обернулся. Впился в меня взглядом. Я спокойно выдержал этот взгляд. Совсем спокойно. Он повернулся и шагами слепца вышел из кухни.

Больше я его не видел. И стал засыпать спокойно, не боясь, что вновь закрутится пропеллер и длинное красивое лицо улыбнется и подмигнет мне левым глазом.

В своей книге «Испытание памятью» актер Евгений Лебедев размышлял:

«Где еще, как не в больнице, можно так разглядеть и понять человека? Увидеть и услышать от него, каков он есть. Нигде так не раскрывается человек, как в больнице...

В больнице открывается перед человеком конечная перспектива его жизни — смерть. Все здесь напоминает ему о ней, как бы ни старались его отвлечь цветками в горшках,— сама больница, запахи ее, носилки, коляски, иголки, шприцы. Все, кроме самих врачей, тут иное, чем там, на воле...

Каждый больной хочет узнать от врача всю правду про свою болезнь и, как у кукушки в лесу, спрашивает, сколько осталось, сколько осталось...

Грядущая смерть вызывает в человеке самое сильное ощущение бытия, устраивает ему встречу с самим собой, с совестью, со всей прожитой жизнью. Приходит ощущение твоей временности, неизбежности конца. Потому-то она и страшна, смерть, что вызывает в тебе прожитую жизнь как жизнь умершего. И переиграть ее заново нельзя...»

Евгений Алексеевич написал эти строки о людях с «прожитой жизнью». А что если эта жизнь обрывается на взлете, когда ты не успел еще воспарить, чтобы оглядеть хотя бы тот мир, который можно охватить взглядом? Смерть страшна в любом возрасте и все же...

Я уже упоминал, что рядом с нами находился гарнизонный госпиталь, тот самый, на котором было написано «Военная гошпиталь». Так вот мы, местные пацаны, ходили туда, чтобы хоть как-то, в меру своих возможностей, если не утешить страждущих, то хотя бы отвлечь их от горестных мыслей. Читали им книжки, пели и плясали перед ними — кто на что был способен. У нас среди раненых, несмотря на разницу лет, были настоящие друзья, которые делились с нами самым сокровенным, изливали перед нами душу.

Ванечка душу не изливал. Несчастье его было так велико, что для его выражения слов уже не хватало — оставалась лишь протяжная, выматывающая душу мольба о смерти.

Грустный рассказ

Ванечка лежал в третьей, «тяжелой» палате. Он был «самоваром». Это когда человек остается без рук и без ног — обрубок.

До войны Ванечка работал трактористом. Войну начал танкистом. На Курской был тяжело ранен и после госпиталя попал в пехоту. А уж из пехоты — в «самовары». В бою под Киевом, где клокочущей кашей перемешались земля и люди, железо и огонь, шел Ванечка в очередную остервенелую атаку и наступил на немецкую мину. Вынесли его из боя, как обсученное бревно из леса. Жена от него отказалась. Так и написала: зачем ей, молодой и здоровой, обрубок? У нее вся жизнь впереди. Пострадал, мол, за Родину, вот пусть она о нем и позаботится. Это нам рассказывала санитарка тетя Паша, а уж она-то знала все.

Конечно, Ванечке это письмо супруги не зачитывали, а просто объяснили, что, мол, ищем твою жену. Уехала куда-то в эвакуацию, а куда — и соседи не знают. Вот, мол, кончится война и приедет за тобой твоя Клавочка.

А Ванечка все понимал и молил об одном — о смерти своей. И молитва его звучала по-былинному распевно, но с такой горькой тоской и печалью, что реветь хотелось:

Ребятушки вы мои славные, да что ж вы это делаете!
Да пристрелите вы меня никуда не годного.
Да на кой же мне хер жизнь такая бескрылая!
Да нужен мне ваш гуманизм, как ржавый гвоздь в
заднице.
Да убейте же вы меня, собаки вы паршивые!

И дальше, поднимая и поднимая голос, начинал всех материть:

И минера немецкого хитрого,
И санитаров-подлецов старательных,
Тех, что с поля боя его вынесли,
И хирурга Фиру — стерву рыжую,
Что его так хорошо обработала.

Постепенно его причитания сливались в протяжный жуткий вой. Никто его не останавливал, знали — бесполезно, и молча лежали и ждали, когда он наконец устанет, выдохнется, беззвучно заплачет и тихо уснет. И так каждый день. Это был его ритуал, его реквием по самому себе.

Что греха таить, многие считали, что Ванечке действительно лучше бы не жить. Поставь... какое там «поставь», положи себя на его место, и жизнь тебе покажется сплошной черной жутью — беспросветной.

Я часто после школы заходил к Ванечке и читал ему что-нибудь из хрестоматии. Он всегда слушал с закрытыми глазами. Лицо его было каменным и страшно синели на нем пороховые веснушки. Только однажды, когда я читал ему «Муму», губы у него задрожали, дрогнули, замокрев, ресницы. Он скрипнул зубами и процедил с ненавистью:

— Саму бы ее утопить, тварь старую!..

Он никогда не улыбался, хотя я и старался читать ему что-нибудь посмешнее. Да, думаю, он и слушал-то меня вполуха. Я чувствовал, я почти осязаемо ощущал, как под своей черепной коробкой он упорно буровит свою неотступную свинцовую думу.

Гришка Черный, разбитной чубастый парень из штрафников, с серебряным трофейным перстнем (череп и две кости) на безымянном пальце правой руки и с трагически-кокетливой наколкой на плече «Нет в жизни счастья», появился в госпитале шумно.

— Братцы! — кричал он дурашливо-приблатненно.— Вы все тут кто куда ранетые! А я-то весь как есть контуженный! Мне теперь такую справку дадут, что чего ни нахреначу, отвечать не буду. Эх, трясись теперь моя милиция! Сочиняйте, братцы, чего отчубучить мне, и подавайте в письменном виде, а то вся моя фантазия отбита!

Зашел он и в третью с этой просьбой. И увидел Ванечку. А тот как раз только завел свое:

Ребятушки вы мои славные...

Гришка Черный застыл в дверях и, не мигая, смотрел на Ванечку. И когда тот завыл, лицо Гришки перекосила судорога, правая щека ушла куда-то вверх и начала дергаться, как затвор у автомата. Такого зрелища не мог вынести даже контуженный.

— Го-о-о-ре! — завопил он и рухнул без чувств.

Когда я пришел на следующий день в госпиталь, там стояла тревожная тишина. Старались друг с другом не разговаривать. Встречаясь, отводили глаза.

Тетя Паша, увидев меня, вдруг заплакала, закусив кончик платка.

— Помер наш Ванечка,— проговорила она сквозь слезы.— Пожалели его «ребятушки славные» — застрелили ночью... Особисты приехали, ищут — кто, а все молчат: не видели и не слышали.

Я прошел в третью.

Ванечка лежал, накрытый простыней. В палате стояли начальник госпиталя и двое незнакомых без халатов.

— Можно? — спросил я.

Начальник госпиталя отвернулся. Один из тех, кто был без халата, долго смотрел на меня, будто хотел о чем-то спросить, но передумал и еле заметно кивнул. Я откинул простыню. Ванечка улыбался.

Я вышел из палаты и спустился вниз.

Вскоре вышли из подъезда двое в штатском и начальник госпиталя. Остановились у «виллиса» и молча закурили. Курили долго. Наконец один из штатских нервно вмял окурок в землю тяжелым каблуком и, глядя куда-то вбок, глухо сказал:

— Я знал, что мы ничего не добьемся. Напишите в медицинском заключении: «Покончил жизнь самоубийством».

— Не понял! — вскинул голову начальник госпиталя.

— А чего тут понимать! Так и напишите. Но неприятности у вас все равно будут. Это уж как пить дать!

— Я знаю...

Штатские, сели в «виллис», и машина тихо тронулась к воротам.

Слов нет, военный госпиталь не лучшее место для юмора. Но такова уж жизнь, репертуар которой никогда не ограничивается одним жанром: трагедией или комедией. На одной сцене бушуют нечеловеческие страсти со скрежетом зубовным, а на другой раздается гомерический хохот. Смеются над нелепостью положений, над глупостью, над беспредельной наивностью — да мало ли над чем могут потешаться люди, если уж им не зазорно даже над сбой смеяться!

А поскольку эти сцены находятся по соседству, то зачастую происходит смешение жанров.

Палаты, в которых лежали Ванечка и Витек, были, можно сказать, тоже по соседству. И в то время, когда на одной сцене (в Ванечкиной палате) занавес опустился, на другой действие только начинало развиваться.

Витек был моим другом, и мне доставляло большое удовольствие потешать своей самодеятельностью именно ту палату, где он лежал. Я одновременно пел, отбивал чечетку и не забывал строить рожицы поуморительнее, чтобы было веселее. Пел я, конечно, не оперные арии и даже не русские народные песни. У меня был свой репертуар, который пополнялся за счет услышанного на всяких пьянках-гулянках и от местных пацанов.

Не помню, что я исполнял в тот раз, но последнюю частушку запомнил хорошо:

> Сидит Гитлер на заборе,
> Просит кружку молока,
> А колхозник отвечает:
> «Хрен сломался у быка!»

Сбацав последнее колено отбивочки, раскинув в присядке руки, я закончил свой номер. Раненые, покатываясь со смеху, оглушили меня аплодисментами.

— Ну, Швейк! Ну, даешь! Ну, артист!

Только санитарка тетя Паша, стоя в дверях, укоризненно качала головой.

— Выдрать его надо как сидорову козу, а они радуются, кобели, да еще руками хлопочут. Тьфу ты, Господи!

И собралась в знак протеста уходить.

— Тетя Паша! — закричал Витек.— Куда ты? Он еще и не такое знает! Не уходи, послушай! Про Геббельса! Вали, Швейк! — И он тряхнул своей красивой кудрявой башкой.

Веселый рассказ

Витек был истребителем. Сбили его как-то по-дурацки. Выполнил задание и возвращался домой. Шел на малой высоте. Снизу вслепую били зенитки. Шальной снаряд попал в Витькину машину и разорвался у него под задницей. Как дотянул до своих, как сел, как его вытащили из машины — ничего не помнил. Пришел в сознание только на третий день на операционном столе. Сквозь тошнотную дурноту услышал противный звук — кусочек металла упал в таз.

— Двадцать седьмой! — услышал он низкий женский голос.—Жопа как решето...— И через короткую паузу, раздумчиво: — А вот что с этим-то делать?.. Куда же он с таким пеньком? И морда у парня больно красивая... Тяжелых сегодня много?

— Трое, Фира Израилевна.— Это уже девчоночий голос, как отметил про себя Витек.

— Скажи Василию Григорьевичу,— приказала Фира,— пусть сам их обработает. А я попробую пришить этому дураку его достоинство, там ведь не до конца перебито. Угораздило ж его...— И рассмеялась.

А потом Витек лежал в палате и соображал, что же с ним произошло. До конца сообразить ему помогли товарищи по палате. Его историю ему рассказывали с веселым хохотом и похабными подробностями. Оборжавшись до слез, говорили, что один солдат пожертвовал Витьке часть своего достоинства: кровь-то ведь сдают, так почему же этим не поделиться! Вот Фира и пришила ему эту надставку. Так что с войны он вернется с припеком.

Несмотря на разницу в возрасте, мы очень дружили с Витьком, и он мне, пацану, часто рассказывал о себе. Говорил, что есть у него невеста — самая красивая девчонка в районе. Показывал мне ее фотографию: смешное, курносое лицо. Но мне тоже казалось, что она действительно самая красивая на свете. Говорил, что у него есть тихая и добрая мама. А отца зарезал пьяный деревенский психопат. На Пасху напился и стал все крушить на своем пути. Витькин отец решил урезонить его по-хорошему. Тот и впрямь будто послушался. А потом вдруг ударил сзади Витькиного отца ножом. Да и попал точно между ребер в сердце. Отец сел на землю и тихо сказал:

— Дурак же ты, Феденька...— И умер.

Мать так и не вышла второй раз замуж. Не захотела, хоть и сватались многие. А по ночам Витек слышал, как она давилась слезами...

Витек очень любил поговорить со мной. Я понимал, что ему нужен слушатель, который бы смог разделить с ним его боли и печали и не посмеялся бы над ними. Я был как раз таким слушателем.

Витек не переставал говорить о своем идиотском ранении, о Фириной жалости, о невероятной по тем, а может, и по сегодняшним временам операции. И очень волновался: как все будет, когда заживут его интимные раны. Однажды Витек сказал, что его собираются выписывать, но хрен-то он тронется с места, пока не убедится, что все у него в порядке. Я толком не соображал, о каком порядке идет речь, но понимал, что для Витька это важнее жизни.

— А нет — застрелюсь к едрене-фене,— шептал он мне на ухо.— Чтоб я к Вере говном явился?! «Вальтер» у меня в клумбе закопан.

Тогда у многих в госпитале было оружие. Его приматывали бинтами под кальсоны. Я первый по разговорам и слухам узнавал, когда будет «шмон», и всех предупреждал. Они быстро отбинтовывали свои «ТТ», «браунинги», «вальтеры», и я их в охапке, как дрова, уносил в сад и закапывал под яблоней. У меня там был тайник. А Витек свой «вальтер» закопал сам, и я знал, что он точно застрелится, если не будет «порядка».

И вот как-то Витек отозвал меня в сторону и сказал, что Фира сама предложила ему убедиться, что не зря она возилась с ним целых три с половиной часа.

— Я, говорит,— шептал мне Витек,— сама его вернула к жизни, сама и опробую. Договорился я с Фирой. Понял? Завтра, говорит, садись в общую очередь на прием и жди вызова. Во дает Фира!

Фира Израилевна была огромной и красивой. Этакая огненно-рыжая валькирия. Как говорили о ней раненые, сначала в палату минут пять Фирина грудь входит, а уж потом она сама. Фира не стеснялась в выражениях. Говорила громко и гулко. Хирургом она была потрясающим.

О чем она тогда с Витьком договорилась, я опять же толком не понял, но чувствовал, что это очень важно для него и что это — тайна для всех. Только мне доверил свою тайну Витек, и я должен держать язык за зубами.

На следующий день я с трудом досидел в школе последний урок. В госпиталь бежал бегом. Поскорее хотелось узнать, как дела у моего. Очень мне не хотелось, чтобы он застрелился.

В госпитале творилось что-то странное. Врачи бегали по коридорам и орали на раненых:

— Прекратите ржать, немедленно прекратите ржать!

— Пожалейте хоть сами себя! Швы у вас, у идиотов, разойдутся! Черт бы вас побрал!

Громче всех грохотала Фира:

— Молчать! Палец им покажи, коблам! Я вас заново сшивать не собираюсь.— Но сама, не выдержав, закатилась в припадке хохота: — Ох, вот дура! На свою голову... Ох! Ох! — И, схватившись за живот, убежала к себе.

— Иди к своему — он там зубами всю подушку порвал,— сказал мне кто-то.— Ну, Фира! — И, лязгнув золотыми зубами, взвыл по-собачьи, замахал, как ребенок, руками.— Не могу! — И скрылся в сортире.

Я вошел в палату. На кровати сидел серый Витька.

— Ты что, Витек?

— Пойдем,— сказал он.— Давай лучше в окно, а то они опять начнут...

Мы вылезли в сад, сели на траву.

— Понимаешь, Швейк, я сделал, как уговорились. Сел со всеми в коридоре. Жду. Вызывает. «Ну, пришел, красавец? Давай проверим результаты усилий отечественной медицины. Раздевайся». Снял я пижаму за ширмой. «Выходи»,— говорит. Вышел я, а она как распахнет халат, и вся голая. У меня аж горло перехватило. Я и не чувствую ничего, а она говорит: «Ну вот, Витюша, все у тебя в порядке, я после войны на тебе диссертацию защищу. Ну, счастливо! Невесте — привет». Запахнула халат, взяла меня за загривок, дала под зад, я и вылетел в коридор. Только я не заметил, что она мне пижаму на «хозяйство» повесила. Так я и дошел до палаты с пижамой на... А в коридоре-то народу полным-полно... Ну и началось! Сволочи!

— Витек, да пусть ржут. Главное-то — все в порядке.

Витька посмотрел на меня своими огромными голубыми глазами, упал навзничь в траву и зашелся в хохоте:

— Ну, Фира! «Невесте — привет»! А пижаму-то... А я-то по всему коридору... С пижамой... А в коридоре-то полно... А?! А я с пижамой... Во кино!

Через несколько дней Витьку выписали. Провожать его высыпал весь госпиталь. Никто не смеялся, только улыбались. Витек бросил вещмешок в кузов грузовика и сам ловко запрыгнул в него. Машина тронулась.

Вдруг Витек метнулся к кабине и забарабанил по ней:

— Стой! Стой!

Он смотрел куда-то вверх. Все повернули головы. В окне третьего этажа стояла огненная Фира и улыбалась. Витек уехал. В отпуск. По ранению.

Были у нас и свои дворовые увлечения, среди которых не последнее место занимали кулачные бои — старая русская потеха.

Не знаю, во всяком случае не слышал, чтобы нечто подобное было в других странах среди других народов. Гладиаторские бои, рыцарские турниры — все это не то: банальное смертоубийство. Даже кулачные бои, которые практиковались в Древней Греции, не идут ни в какое сравнение с русской потехой. Вспомните знаменитую скульптуру древнего мастера «Кулачный боец» и обратите внимание на его кисти рук. Там такое наворочено, что сразу же на ум приходит бандитский свинцовый кастет.

Не дай Бог, если б у нашего бойца заметили зажатый в кулаке тяжелый медный пятак! Его сразу же с позором бы выгнали из своих рядов.

В старину обычно бились зимой на льду рек. И когда шли стенка на стенку, то это представляло собой целый спектакль.

Бойцы стояли на противоположных берегах и будто бы ко всему были равнодушны, словно все происходящее вокруг вовсе их и не касалось. А между тем начиналось первое действие спектакля под открытым небом. Развитию сюжета помогало то, что все действующие лица знали не только друг друга, но и родню каждого до третьего колена.

И вот на авансцену выходила мелкая пацанва и начинала подзуживать своих сверстников на противоположной стороне:

— Эй, длинный! Скажи своей кривой сестре, чтоб глаз соломой затыкала-а!

— А ты, горлопан, продай теткин скелет, я его на огороде поставлю!

Пока мелочь пузатая перебирает близких и дальних родственников, мужики только посмеиваются. Но вот дело доходит до отцов.

— Эй, косорылый! Спроси, чевой-то у твоего тятьки морда го-ла-ая!

— Оплетало-о! Подтяни у своего тятьки порты — потеряе-ет!

Тут уж мужики начинают нервничать и медленно сходиться. Ребятишки бросаются врассыпную, и начинается второе действие.

Не доходя двух-трех шагов друг до друга, бойцы останавливаются и ждут, кто начнет. И вот выходит самый могучий, выбирает себе достойного супротивника, такого же богатыря, и — бьет! Потеха началась.

Третье действие спектакля: радость победы у одних и горечь поражения у других. Подсчет синяков и шишек и общее братание, чтоб не помнили обид. Этакий хэппи энд. Так ведь игра: «Сегодня ты, а завтра я». Ни обид, ни злобы, ни ненависти — полюбовно пошалили, полюбовно и разошлись. Не без разбитых носов, не без выбитых зубов, не без сломанных ребер,— но ведь игра-то мужская!

Когда в паровом котле поднимается критическое давление, его нужно срочно сбросить, иначе котел просто разорвет. И чтобы сбросить это давление, существует предохранительный клапан. Вот эти потешки и служили для русского человека тем клапаном, который давал выход той неиспользованной энергии, которая грозила взорвать человека изнутри.

Бой одиночных бойцов напоминал одноактный спектакль. Об этом хорошо написал Лермонтов в «Песне про... купца Калашникова». Помните?

> Как сходилися, собиралися
> Удалые бойцы московские
> На Москву-реку, на кулачный бой,
> Разгуляться для праздника, потешиться.

Но здесь, правда, купец использует потешку как возможность в честном бою смыть позор со своей семьи. И поэт красочно описывает этот скоротечный бой:

> Вот молча оба расходятся,
> Богатырский бой начинается.

> Размахнулся тогда Кирибеевич
> И ударил впервой купца Калашникова,
> И ударил его посередь груди —
> Затрещала грудь молодецкая,
> Пошатнулся Степан Парамонович;
> На груди его широкой висел медный крест
> Со святыми мощами из Киева, —
> И погнулся крест и вдавился в грудь;
> Как роса из-под него кровь закапала;
> И подумал Степан Парамонович:
> «Чему быть суждено, то и сбудется;
> Постою за правду до последнева!»
> Изловчился он, приготовился,
> Собрался со всею силою
> И ударил своего ненавистника
> Прямо в левый висок со всего плеча.

И опричник молодой застонал слегка,
Закачался, упал замертво.

Тогда «царь Иван Васильевич прогневался гневом, топнул о землю» и приказал отрубить купцу головушку.

И вот четыре века спустя...

Боже, что ж это «с памятью моей стало»? Бросает она меня из века в век, будто от утра до вечера, от репетиции — к спектаклю. Видно, и в самом деле не дают мне покоя мои «потомственные» гены. Да какие там гены! Скорее всего, мы все же помним, что мы — русские, у которых всегда был избыток физических и духовных сил. И эта перехлестывающая через край энергия нуждалась в освобождении даже в годы полуголодного детства.

Бились двор на двор, улица на улицу не только в Лефортове и не только в Москве. Потом я спрашивал своих сверстников из разных российских городов и оказалось, что эта потеха не чужда была никому. «Потешаться» перестали где-то в первые послевоенные годы, когда наше поколение подросло, а новому было не до потешек. И древняя русская традиция как-то незаметно и бесследно исчезла. Сейчас если и дерутся, то наверняка используют вместо кулаков более подходящий инструмент: чтобы враз хлоп — и наповал!

А тогда...

Тогда существовал целый свод неписаных правил, так сказать, джентльменских соглашений. Руки должны быть свободными от всяких предметов. Помню, в нашем дворе появился новенький. Этакий чистенький интеллигентный мальчик. Ему, наверное, очень хотелось показать себя, как сейчас говорят, «крутым». И он предложил драться на ножах. Это нам показалось настолько диким, что ему тут же вежливо предложили удалиться и больше здесь не появляться. И он исчез так же незаметно, как и появился.

Нельзя было бить лежачего, а уж размахивать ногами считалось позором. Эта мода пришла, кажется, с увлечением карате. Гуманным считался бой «до первой крови». Если одному бойцу расквасили нос или рассекли бровь, бой заканчивался, как бы ни хотел пострадавший продолжить его.

В тот день я дрался с пацаном из соседнего двора. Ни у меня к нему, ни у него ко мне не было никаких претензий, никакой вражды. Просто мы хотели померяться силами. Пацан крепко влепил мне в глаз, и он стал быстро заплывать. Но крови не было и бой продолжался.

Прицеливаясь и увертываясь, мы с противником утаптывали снег. Вокруг стояли наши и ребята с соседнего двора и молча ждали окончания поединка. Вмешиваться, подсказывать и науськивать со стороны строго запрещалось. Наконец по снегу рассыпалась «клюква». На этот раз из моего носа.

Сразу несколько человек подняли руки.

— Все, кончайте!

— Да у меня нос слабый! — пытался я протестовать, хотя и знал, что это бесполезно.

Тут слегка обиделся и мой противник:

— А я тебе что — Буратино? У меня, что ли, нос деревянный?

— Да пошел ты!..— огрызнулся я.

— Да иди ты сам...— беззлобно ответил противник, чтобы не остаться в долгу.

На том наш «базар» и кончился. Все было по правилам и обижаться нужно было только на самого себя: не успел вовремя увернуться.

Время было еще детское и кто-то предложил:

— Кончай, ребята. Пошли в парк!

И все толпой, уже забыв о драке, вышли из-за сараев. Нос сильно распух и очень ныл. Я приложил к нему лепешку снега, запрокинул голову и пошел вместе со всеми. И вот тут кто-то придержал меня за руку.

— Подожди! — Это был парень из нашей школы, но жил он на Почтовой.

— Чего тебе? — прогнусавил я.

— Охота была тебе драться? Больше делать, что ли, нечего? Вон как нос-то распух...

Напоминание о носе мне не понравилось.

— Слышь,— приостановился я,— а чего это ты ко мне пристал?

Но парень не стушевался.

— Приходи лучше завтра в Дом пионеров,— предложил он.— В драмкружок запишешься.

У меня даже нашлепка с носа свалилась. Я подумал, что ослышался. И переспросил:

— Че-е-во?!

— «Чево-чево»,— передразнил он,— в драмкружок запишешься. Это поинтереснее будет, чем морды друг другу квасить.

— Да пошел ты!..

Не знаю почему, но назавтра я все же появился в этом Доме пионеров. Наверное, взяло верх обычное любопытство. Как говорят, познание непознанного. И будто попал в другой мир.

Смехота! Все разговаривают, как «очкарики»: «цирлих-манирлих», «будьте любезны»... И одеты все аккуратно, у всех белые воротнички. А у меня фингал под глазом и нос неопределенного цвета. Но их руководитель Сергей Владимирович Серпинский, кажется, не обратил на это ни малейшего внимания.

— Ну, что ты нам почитаешь? — спросил он вежливо, глядя мне прямо в глаза.

— Чево? — не понял я.

— Ну почитай нам что-нибудь, что сам хочешь,— пояснил Серпинский.— Что ты знаешь наизусть?

— Ничего.

— Совсем ничего?

— Совсем.

Серпинский не удивился, не возмутился.

— Ну ладно,— спокойно сказал он,— тогда послушай других, а когда приготовишь что-нибудь, скажешь. Ну, кто первый?

И вот кружковцы стали по очереди выходить на маленькую сцену и читать: кто — стихи, кто — рассказ. Многие читали очень хорошо, видно, уже воображали себя артистами. Мне нравилось. А вот некоторые будто металлическую трубу пилили ножовкой: вжик-вжик, вжик-вжик, вжик-вжик! Вот зануды, думал я, не умеют, а лезут!

Домой я возвращался членом драматического кружка Дома пионеров Бауманского района города Москвы. И прощался со всеми за руку — до среды.

Я долго думал, что бы выбрать для чтения, и остановился на рассказе Чехова «Толстый и тонкий». Помните? «На вокзале Николаевской железной дороги встретились два приятеля: один толстый, другой тонкий». Два бывших гимназических приятеля. Один теперь очень важный: он только что пообедал и «пахло от него хересом и флер-д'оранжем».

Что такое «флер-д'оранж» я не знал, но слово было красивое, и я произносил его с большим удовольствием.

А от другого пахло «ветчиной и кофейной гущей». И был он бедным, худым, а «из-за его спины выглядывала худенькая женщина с длинным подбородком, его жена, и высокий гимназист с прищуренным глазом, его сын» Нафанаил.

И вот тонкий расхвастался, а узнав о положении толстого, растерялся и тут же начал заискивать перед ним, жалко хихикать, ставя толстого в неловкое, дурацкое положение. Меня очень разозлил этот тонкий. Ведь бывшие друзья, так чего же ты враз скукожился? И жену ты свою унизил. И Нафаня твой — балда стоеросовая, рот разинул и «уронил фуражку».

Рассказ короткий — всего две странички. Я его быстро выучил наизусть, но никому об этом не сказал. Долго молчал, пока Серпинский сам не вызвал меня, решив, что за такое время пора бы уж чего-нибудь да выучить.

— Ну давай, Дуров, не скромничай.

Я взошел на сцену, и горло у меня перехватило. Мне понадобилось несколько минут, прежде чем я собрался с духом. Наконец я уставился куда-то в угол и стал читать...

На этот раз домой я уже возвращался «способным».

Потом мы поставили спектакль «Два капитана» по Каверину. Спектакль был необычным: он шел два вечера. В нем я играл три роли. Одна из них была —

ночной сторож, старик. Мне нацепили бороду, я ходил по сцене и стучал колотушкой.

Декорации делали сами. И оформлению одной из картин и сейчас позавидовал бы любой художник. В нашем дворе было много старых тополей. Некоторые из них посадил еще мой отец задолго до войны. И вот я спилил все высохшие ветки, а они были толщиной с хороший ствол, и на сцене вырос красивый настоящий лес. Я и сейчас мог бы не стыдясь представить на обсуждение любого худсовета такое оформление. Этот спектакль всегда пользовался у зрителей огромным успехом, и нас неизменно награждали бурными аплодисментами. Конечно, нам, мальчишкам и девчонкам из драмкружка, это очень льстило: мы чувствовали себя настоящими артистами и играли с полной отдачей. Зрители это понимали и поощряли нас, как родители поощряют добрые задатки у своих детей.

А детьми мы были — как бы это поизящнее выразиться? — далеко не паиньками. И играли не только на сцене.

У мальчишек все-таки главной сценой был двор, в котором мы знали каждый укромный уголок, каждую выбоину, все водосточные трубы и весь дом — от подвала до крыши. И среди нас были и свои авторы, и свои постановщики спектаклей, и свои исполнители. Но, что самое главное, мы втягивали в свои спектакли и взрослых. Без них мы просто не могли обойтись. Хотя сами они, думаю, даже и не предполагали, что становятся участниками наших спектаклей.

У нас за забором, за Московским высшим техническим училищем имени Баумана (МВТУ) была площадка, куда свозили трофейное вооружение: пушки,

танки, гаубицы, самоходки и прочие железки. Все это
служило учебным пособием для студентов военных
кафедр. Мы тоже там лазали и изучали все виды не-
приятельского вооружения.

Весь этот арсенал, конечно, охранялся. Но мы давали охраннику пачку махорки, и пока он проходил
свой контрольный путь туда и обратно, мы должны
были исчезнуть: он нас не видел. За это время мы
хватали все, что хотели, и разбегались. А чего там
только не было по мелочи!.. «Шмайссеры», пистоле-
ты, наградные ножи «Адольф Гитлер». У меня на
чердаке даже стояла пушка-пулемет с трассирую-
щими пулями.

Потом кто-то настучал на меня, пришла милиция и
все конфисковала. Ах, как я тогда плакал! Конечно,
было жалко расставаться с таким богатством...

Но это произошло чуть позже. А тогда я не успел
драпануть от охранника и запрыгнул в танкетку. Там
стояла такая маленькая танкетка с маленькой башен-
кой, напоминающей по форме каску. Я запрыгнул в
нее и захлопнулся. Сидел, сидел и уж пора было выходить, а эта башенка — ни с места. Можно, конечно
бы, поорать или постучать какой-нибудь железякой о
броню. Но это было бы не по-мужски: я подводил бы
охранника и сам выглядел бы несолидно.

Меня выручило знание неприятельской военной
техники. Мы ее изучали не хуже студентов военных
кафедр. Осмотревшись, я увидел защелку, и башенка
приоткрылась. Охранника нигде не было. Я спрыгнул
и мягко приземлился рядом с колесом гаубицы. И поскольку у меня, как и у всех пацанов во дворе, был
талант исследователя, а проще говоря, зуд любопытства, меня удивило маленькое открытие: колеса у гау-

бицы были резиновые, а на них я не увидел ни одного соска, через которые накачивается в баллоны воздух.

Это было уже интересно, и я не мог не утолить свое любопытство. Через час я уже снова лежал рядом с этим странным колесом, но уже с сапожным ножом в руках. Я вонзил этот нож в баллон и, к своему удивлению, не услышал шипящего звука. Так я впервые в жизни увидел микропорку. И не воспользоваться этим открытием было просто невозможно.

Я вырезал здоровенный кусок и уже дома придал ему форму футбольного мяча. А весу в нем было килограммов шесть-семь. Для нашей шутки, которую мы придумали, это было как раз то, что надо. Для детей эта шутка выглядела несколько жестковатой, но...

Недавно я наткнулся где-то у нашего последнего ученого-энциклопедиста Алексея Федоровича Лосева на любопытное наблюдение. Он утверждал, что официальные социологические исследования совершенно лишены объективной информации. И что тот, кто хочет узнать, чем озабочена нация, пусть внимательно понаблюдает, во что играют дети.

Перед Отечественной войной девочки играли в куклы и в сестер милосердия. Мальчики возили за веревочки машины и стреляли друг в друга из игрушечных пистолетов.

Сейчас мальчики тоже стреляют друг в друга, но уже не из пистолетов, а из автоматов на батарейках, с визгом и сиренами в пульсирующем световом сопровождении. Девочки играют в карты, жетоны и в банкиров: кто быстрее скупит какие-то акции.

Ни на что не намекаю и уж тем более не делаю никаких далеко идущих выводов. Просто хочу сказать, вспомнив Лосева, что наши игры ведь тоже были порождением своего времени.

Итак, я стоял во дворе за аркой, а мой наводчик на улице —перед аркой. Он должен был выслеживать очередную жертву. Особенно интересно было, когда шел какой-нибудь фраер с девицей.

Наводчик в нужный момент делал мне отмашку, и я выкатывал этот почти полупудовый мяч на улицу этому фраеру под ноги. И тут же кричал:

— Мужик, подай!

Ну какой же фраер откажется хвастануть перед своей дамой спортивной ловкостью. Он, конечно, тут же бросал свою даму и со всей силой бил по мячу. Но ведь это все равно, что бить носком ноги в бетонную стену! Мужик хватался за ногу, корчился и матерился на все Лефортово. Дама его от стыда убегала, а мы-то веселились от души: ведь дети! А тут еще взрослые нас поддерживали:

— Ты чего материшься! Здесь дети играют!

А дети в это время выбирали очередную жертву.

Но детям, впрочем, как и взрослым, всегда претит однообразие. Скоро этот мяч нам надоел, и мы сочинили другой спектакль. Но он был посложнее — там уже требовались навыки то ли баллистика, то ли артиллериста.

Сетками мы ловили на помойке кошек. Наловим штук пять-шесть и сажаем их в мешок из-под картошки. Они там и замирают. Видно, пытаются угадать, что их ждет дальше. Но хрен они могли отгадать!

Вот тут и начиналась игра. Мы залезали с этим мешком по пожарной лестнице на крышу пятиэтажного дома и подбирались к своей водосточной трубе, которая выходила на улицу. Труба была замечательна тем, что в ней не было швов. А для нашей игры это имело немаловажное значение. А внизу стоял наводчик — главное действующее лицо спектакля. Он должен был дать сигнал с точностью до секунды, когда начинать действие. И вот мы видим: он дает отмашку. Я вытаскиваю из мешка кошку и пускаю ее в трубу: ш-ш-ша! Только шорох идет!

Здесь во мне, наверное, опять просыпались гены моего деда, который, как известно, знавался с большими учеными и изучал вместе с ними повадки зверей. Не зная, за что уцепиться, вырвавшись из страшной темной трубы, кошка хватается за все, за что можно только уцепиться. И если расчет точный, животное, выскочив из трубы, цепляется за ногу обреченного прохожего. Тот не понимает, в чем дело, начинает орать и срывается с места. Кошка тоже ничего не понимает и боится отцепиться. Так они и несутся вместе до первой автобусной остановки. Ну, а там уж им люди помогают расцепиться.

А мы ждем новую жертву: у нас ведь в мешке еще много этого зверья!

Это было очень смешно.

Но если наводчик ошибался, мы его били. И били очень больно. За вторую ошибку его дисквалифицировали. И тогда он плакал уже без лупки: кому же хотелось терять такую почетную должность!

Были, конечно, и традиционные безобидные игры: казаки-разбойники, двенадцать палочек, лапта, штандер... Носились как угорелые! Сейчас этого не наблюдается. Наверное, время ушло.

У меня сейчас такое ощущение, что все дети сели за компьютеры, уткнулись в видики и телевизоры и скоро совсем обезножат. И родители еще хвастают: «Ах, мой сынок уже овладел компьютером! Ах, моя внучка уже файлом по факсу!..» И не понимают того, что их сынкам и внучкам прежде всего нужно овладеть своим телом, а не этими электронными железками. Не следует забывать, что прежде чем стать гениальным ученым на века, Аристотель был чемпионом Олимпийских игр. И если наши дети научатся только нажимать на кнопки и глазеть в мутные подслеповатые экраны, то мы получим поколение с атрофированными ногами и отвисшими животами — этаких гофмановских крошек Цахесов.

Совсем не пытаюсь напугать кого-то этими «пророчествами». Ведь не я же сказал: «в здоровом теле здоровый дух». Я просто подумал о том, что какими бы ни были жестокими наши детские игры, они могут показаться шалостью по отношению к нынешним интеллектуальным забавам. Это может обернуться жестокостью по отношению к самим себе.

Я меньше всего хотел бы выстраивать какие-либо логические умозаключения и делать из всего сказанного скороспелые выводы. Я всего-навсего артист и сужу со своей колокольни. Так вот первая моя встреча с Шекспиром произошла в нашем доме, в Лефортове. Это я к тому, что за последние годы я что-то не слышал о подобных трагедиях. Может быть, из слабых тел выветрился здоровый дух?

Возьмите любую газету, и вы прочтете, как один зарезал, пристрелил, расчленил другого. Почему? По пьянке, под наркотой, не помнит — без объяснения причин! Кому это интересно? Мне неинтересно.

Алексей Толстой еще более семидесяти лет назад размышлял: «Лев Толстой написал Платона Каратаева; они, Платоны, миллионами в то время бродили по русской земле. Теперь Платон — да не тот. Я не хочу читать про то, как один человек выпустил кишки другому. Это их частное дело, это меня не касается. Я хочу знать, каков сейчас этот стомиллионный Платон?

Достоевский написал Грушеньку. Она, хотя бы одной капелькой, жила в каждой русской женщине. Теперь Грушенька — да не та. Но какая? Пойдет эта новенькая Грушенька со мной на каторгу? А Раскольников — убьет сегодня старуху? А Ставрогин — повесится на чердаке?

...Я хочу знать этого нового человека. Я хочу знать сегодня самого себя».

Ау!.. Не слышу ответа на все эти вопросы. И вот впервые с шекспировской трагедией я встретился не на театральной сцене, а в лефортовском доме. В нашем доме. И участниками этого спектакля были ребята чуть старше меня — они были ровесниками Ромео.

Васька Мурашов занимался в спортивном обществе «Локомотив». И у него был преданный ему прекрасный товарищ — тоже спортсмен.

И вот мы, пацаны, стоим как-то и смотрим, как во дворе мужики играют в домино. И тут из-под арки выходит Васька со своим товарищем. Оба задумчивые, ни на кого не обращают внимания. И один из игроков окликает:

— Здравствуй, Вася!

Его все любили во дворе — он был честным и скромным парнем.

Вася обернулся и как-то рассеянно сказал:

— А может быть, и прощайте... Я еще не знаю...

Никто, конечно, не обратил внимания на эту «проходную» реплику. А ребята вошли в подъезд, где жил Васька. Отец у него работал проводником на поездах дальнего следования, мать где-то служила, так что парнишка был предоставлен самому себе.

О чем ребята там говорили, неизвестно. Обо всем стало известно позднее.

На другой день они пришли на стадион и рассказали своему тренеру, что влюбились в одну девушку, и будет честно, если один из них уйдет из жизни.

А Васькин приятель добавил:

— Еще честнее будет уйти из жизни вдвоем. Мы уйдем вместе.

И тренер не принял их слова всерьез — мальчишки!

А ребята между собой решили действительно уйти из жизни вдвоем. Взяли «наган», а тогда это была не проблема — найти «наган». Впрочем, как и сейчас.

Зашли к Ваське в квартиру, положили в шапку две бумажки с номерами и стали тянуть жребий...

Первый номер достался Васькиному приятелю. Тот взял «наган» и вышел в другую комнату. Скоро Васька услышал выстрел и открыл дверь в соседнюю комнату. Его друг лежал мертвый. С дыркой в виске.

И тут Васька струсил. Даже не то, что струсил,— с ним случился шок. Он лег рядом со своим другом и вырубился. А когда утром очнулся, пришел на стадион и все рассказал тренеру.

Потом приехала милицейская бригада и убедилась в том, что действительно это было не убийство, а самоубийство. Девушку, из-за которой ребята стрелялись, я не видел. Но, думаю, что она была прекрасна. Для них.

Вот такие случались страсти по Шекспиру. Правда, скоро вся Васькина семья переехала: родители боялись, как бы сынок все-таки не выполнил свое обещание. Ведь здесь все ему напоминало о несдержанном другу слове.

Больше я этого Ваську не видел. Может, все-таки застрелился? А что — я этого совсем не исключаю. Хотя мне очень хотелось бы верить, что у него все зарубцевалось. Но для этого ему прежде всего нужно было бы изменить свое понятие о чести. Вряд ли он был способен на это...

Лефортово...
Там каждый двор был историческим заповедником. Когда мы копали землю под клумбы или грядки, совсем нередко под лопатой оказывалась монета времен Петра или Екатерины. Часто попадались всякие безделицы тех времен: хитроумные ключи от дверей и шкатулок, перламутровые веера, да мало ли что накопилось под нашими ногами за два с половиной века. Думаю, что и теперь, если покопать там, найдется много интересного. Эта земля таит под собой замечательные исторические пласты.

У меня вообще слабость к археологическим раритетам. Я уже писал о своей коллекции огнестрельного и холодного оружия, которую изъяла у меня милиция. Так вот, вместе с оружием она прихватила и немецкий генеральский мундир, на спине которого я насчитал двадцать семь дырок от осколков: видно, наступил генерал на мину, и она нашпиговала его железом.

Сейчас у меня в театре лежит солдатский немецкий ремень — кожаный. На нем пряжка с надписью: «Gott mit uns» («С нами Бог»). Есть у меня русская и немецкая каски. Обе с дырками.

Лежит у меня и немецкий офицерский погон, серебряный, витой. Есть чистый бланк-картонка из рейхстага — с рабочего стола Гитлера. На нем гриф: «Адольф Гитлер» и короткое пояснение, чтобы никто не сомневался, откуда этот бланк: «Отсюда приказывают». Был у меня такой бланк и с текстом. Но я дал его одному художнику, а он обменял его на скелет мамонта. У каждого своя блажь.

Но если честно, то никакой я не коллекционер — я обычный барахольщик. Что-то понравилось, и я тяну или домой, или в театр. А может, пригодится! Да и просто интересно: карман-то вся эта мелочь не трет. Многие вещицы мне дарят, и они дороги мне как память. Память о людях или событиях, с которыми связаны эти сувениры. Ведь любая вещь может рассказать о себе очень даже интересную историю. И я подумал, что будет справедливо посвятить им отдельную главку «Моя барахолка», которую можно поместить в книге в соответствующее место.

НА СЦЕНЕ И ЗА КУЛИСАМИ

Школу я не любил, а она — меня. Да я в нее фактически и не ходил. Прогуливал безбожно.

Зато далеко до окончания школы я уже прекрасно овладел ненормативной лексикой, научился курить и цыкать сквозь зубы, как заправская шпана. Но курить меня отучили быстро — без всяких пилюль и нотаций.

Однажды, когда в школе шли уроки, я скрылся в туалете и с папироской в зубах стал комментировать из окна футбольную игру в школьном дворе:

— Рыжий, так тебя и эдак! Кому ты подаешь, эдак тебя и так! А ты, Длинный, трах-тарарах, совсем мышей не ловишь!

Слышу — кто-то вошел. Ну, думаю, еще один такой же прогульщик, как и я. А оглянуться мне некогда — очень уж увлекся игрой. И тут мне хлопают по плечу и просят:

— Оставь.

Я, опять же не оборачиваясь, откусываю слюнявку и передаю через плечо с обязательной в таких случаях репликой:

— Свои надо иметь.

Тот не отвечает и продолжает за моей спиной докуривать мой чинарик. А я уж совсем в раж вошел.

— Славка, так тебя и эдак! Не видишь, куда бьешь, эдак тебя и так?!

— Ну, Дуров, пойдем — хватит.

Оборачиваюсь — директор школы! Спускаемся в его кабинет.

— Мерзавец,— говорит он мне,— ты что куришь?

— «Беломор»,— отвечаю.

— Дай сюда!

Я вынимаю из кармана пачку, кладу ему на стол.

— Сколько тебе денег дает мать на день?

Не помню уж сейчас после всех этих денежных реформ, сколько мне давала мать на обед. Мы жили бедно и всего было в обрез. Называю сумму.

— А сколько стоит «Беломор»? — спрашивает.

Опять называю сумму, которая сжирает весь мой дневной бюджет.

— Негодяй! — говорит он, кладет мой «Беломор» в стол и вытаскивает оттуда пачку «Прибоя».— Вот что тебе, стервецу, надо курить! И тогда тебе останется хоть на булочку! Вон отсюда, чтобы я тебя больше не видел!

Когда я вышел из кабинета, почувствовал, что лицо мое горит. Ведь он не ругал меня за прогул, не говорил о том, что «курить вредно». Ведь ни один дурак не станет утверждать, что «курить полезно». Он всего-навсего хотел, чтобы я имел возможность покупать себе каждый день булочку! Директор школы курит «Прибой», а его сопливый ученик позволяет себе «Беломор», который в три раза дороже!

Эта беседа в одни ворота произвела на меня такое впечатление, что через несколько дней я бросил курить. И понял, какой это был грандиозный педагог. Окончательно я убедился в этом после другой истории.

Однажды мы затеяли драку — класс на класс. Конечно, тут же доложили директору. Он ворвался в класс, дернул свой мундир так, что с него все пуговицы осыпались, и закричал, повышая голос по хроматической гамме:

— Дуров! Сегодня ты ударил своего товарища, завтра ты ударишь своего учителя, потом — меня, потом ты убьешь члена правительства, а потом начнешь бить стекла!

Все замерли. Тогда я мало чего понял. А вот позже, анализируя его тираду, до меня дошло: ну что такое член правительства? Ничто! А вот стекла после войны — это была великая проблема. Особенно — для директора школы.

Да, грандиозный был педагог наш директор.

С учителями отношения у меня никак не складывались. Была у нас преподавательница химии Крестова. С ней у меня были полные нелады. Я же не учился, и ее, как каждого педагога, это обижало и раздражало. А время шло к выпускным экзаменам. Моим соседом по парте был Лева Коган, очень умный юноша. Вот он мне и говорит:

— Ты ведь в театральное училище собираешься идти?

— Да вроде...

— Так десятилетку надо кончать? Давай будем заниматься вместе.

— Левка,— говорю,— ты же идешь на золотую медаль, а со мной у тебя ничего не получится. Ты разучишься и вместо аттестата и медали получишь только справку.

Но Левка был упрямым человеком и настоял на своем. И вдруг оказалось, что он блестящий педагог.

— Давай,— говорит,— будем играть с тобой в химию.

— А как?

— А вот так.

Он взял учебник по химии МВТУ имени Баумана, и мы стали заниматься с ним по этому учебнику. А в нем кроме задач были еще и интересные упражнения. И вот мы с ним играли, играли, и я вдруг начал ощущать себя блестящим химиком, чуть ли не Менделеевым.

И вот пошел я на экзамен, иду по своей Почтовой улице весело, уверенно, даже подскакивая. Чувствую, что знаю химию, как стихи, что я ее не боюсь и сдам экзамен блестяще. Мне интересно было увидеть лица учительницы и членов комиссии. А в то время на выпускных экзаменах присутствовали очень даже представительные комиссии.

Прихожу в школу. Все трясутся. Рассказывают всякие страсти. Будто за парту сажают так, чтобы между учениками было не меньше полуметра. Тут уж никакую шпаргалку не передашь.

Короче, вызывают меня, и я сразу вижу по лицам членов комиссии, что они обо мне уже все знают. Химичка наверняка уже рассказала им, что, мол, сейчас придет гад, который не знает абсолютно ничего; вы увидите, какое это чудовище; вообще его надо повесить, изничтожить... У них были такие лица, как будто им горчицы в рот плеснули. А она наоборот довольная: «Ну вот вы сейчас сами увидите, что бывает на свете». И так хитро говорит:

— Билет тащи.

Я подхожу к столу и не глядя — цап! А она показывает пальчиком.

— Вон твоя парта.

Смотрю, а парта стоит отдельно в отдалении. Нарочно поставила, чтобы изолировать меня ото всех. Как в зоне. И я говорю:

— А мне не надо.— И пошел к доске.

Взял мел и стал писать. Доска огромная, а я пишу, пишу, пишу, не останавливаясь, и чувствую спиной, как столбенеет моя бедная комиссия с моей Крестовой. Все смотрят на Крестову, Крестова — на доску. А я дописал внизу, кинул мелочек и вытер о шаровары руки. Она потеряла голос и прохрипела:

— Задачу...

Я подошел к столу, прочитал задачу и так бойко объяснил:

— Трам-пам-пам, тра-та-та, ту-ту-ту плюс пятнадцать калорий.

И она потеряла сознание. Ей стали капать валерьяновые капли — приводить в чувство. Очень запахло в классе валерьянкой. А я стоял и ждал, когда она придет в себя. Знал: это не смертельно. Она очнулась, и тогда я спросил:

— Все?

И все члены комиссии закивали.

— Все, все, все! Ты свободен!

Я вышел во двор, все интересуются, как и что, и я сказал:

— Блестяще!

А потом мы все вместе выпивали с представителем гороно в скверике. Он был фронтовиком, имел несколько тяжелых ранений и сломался раньше нас. Мы его увели домой. А он все плакал и говорил, что настаивал, чтобы мне поставили годовую пятерку. А химичка заявила, что если вы поставите больше тройки, то она повесится. Комиссия пожалела ее и уважила просьбу: мне поставили тройку. Да и мне ее было жалко — ну не вешаться же в самом деле из-за отметки! И Крестова осталась жива. А я получил жуткий, но все же аттестат.

Много лет спустя, когда в Доме науки у меня был творческий вечер, в зале появился красивый пожилой человек с букетом. Он вышел на сцену и сказал:

— Левочка, Левочка, ты помнишь меня? Это я Зиновий Борисович, твой преподаватель по математике.— И обратился к залу: — Товарищи, вы знаете, это был мой любимый и лучший ученик!

Я чуть не упал в обморок, как когда-то Крестова, потому что никогда не вылезал из двоек. И вот неожиданно оказался его лучшим и любимым учеником.

Итак, аттестат получен. Но куда можно было идти с такими оценками! Да меня никуда и не тянуло. Только в театральное училище. А если не примут — на завод. Больше меня ничего не привлекало. Многие из моих товарищей пошли на завод и стали отличными токарями, слесарями, фрезеровщиками, наладчиками.

Никто не верил, что меня примут в театральное: ни родители, ни учителя. А в школе даже откровенно посмеивались над моей «блажью». Да, честно говоря, я и сам-то не очень верил. Верил в меня только один человек — Серпинский.

До сих пор не могу понять, почему Сергей Владимирович, одареннейшая личность, руководил каким-то драмкружком в Доме пионеров! Он великолепно знал астрономию, преподавал математику в вузе. Его отстранили от преподавания за то, что он провел выпускные экзамены, нарушив все предписанные педагогикой каноны. Прекрасно играл на фортепьяно. Блистательно знал мировую литературу. Одно время работал в литературной части Камерного театра. Это был удивительный человек! Вот только он один и верил в меня.

Сейчас, вспоминая о нем, я думаю: а может, эта вера и поддержала меня тогда, не дала упасть духом, укрепила уверенность в своих силах? Наверное, так оно и было. Без поддержки человек теряется и может так больно упасть, что больше и не поднимется. А кроме того, я не мог не оправдать доверия нашего общего любимца. Это было бы предательством по отношению к нему.

До сих пор благодарен я и своим товарищам, которые штопали прорехи в моем образовании: поднатаскали меня по всем предметам, чтобы я закончил десятый класс.

Поступал я в школу-студию МХАТ имени М. Горького. На первый тур пришел в отцовском костюме. Прошло всего три года после войны, и все ребята ходили в лыжных байковых куртках. Куртка синяя, а кокетка голубая. Или в другом сочетании, но обязательно комбинированная.

У меня была замечательная желтая куртка с коричневой кокеткой. Но все родственники и близкие решили, что в театральное училище надо поступать обязательно в костюме. А отцовский костюм был мне, конечно же, очень велик. Поставили меня посреди комнаты, что-то подвернули, убрали, подшили, и я отправился на закланье.

Коридоры студии были буквально забиты поступающими. Говорили, что на каждое место претендует больше тысячи человек. А всего нужно было принять двадцать два.

Ребята были разные и отовсюду. Мельтешили и те, кто за войну поизносился, вроде меня, и оделся в то, что осталось, но встречались и такие яркие пижоны, что даже как-то неловко за них становилось. Один такой — высокий красавец в роскошном костюме — все привязывался ко мне. Как встретит в толпе, так обязательно спросит сверху:

— Вы еще тут? А я думал, вы уже играете во МХАТе?

Мне очень хотелось врезать ему, но его самоуверенность и улыбчивая наглость обезоруживали.

Наконец дошла очередь и до нас. Я читал «Толстого и тонкого».

А потом Георгий Авдеевич Герасимов, который набирал курс вместе с Сергеем Капитоновичем Блинниковым, подозвал меня и спросил:

— А у вас нет костюма попроще? Я думаю, для вашего исполнения лучше быть, ну, скажем, в куртке. У вас есть куртка?

Он был очень тактичным человеком. И я подумал, что, действительно, к этому рассказу Чехова куртка подошла бы больше.

И так случилось, что вслед за мной выпало читать моему красавцу.

— Что вы нам предложите? — спросил Блинников.

— Монолог Сатина,— ответил красавец нарочитым басом и почему-то в фамилии сделал ударение на второй гласной.

Произнес он это так уверенно и с таким апломбом, что Блинников не выдержал и тут же, сходу спросил:

— А монолог трикотажа не прочитаете?

Я сразу же понял, что этот пижон не очень-то ему понравился. Но красавец даже и не думал смущаться. Он набычился и стал фальшиво орать, что человек — это звучит гордо! Ему не поверили. Никто не поверил.

Я вышел вслед за ним и хотел спросить: «Вы еще здесь? А я думал, вы играете...» Но когда увидел его растерянное лицо и жуткую тоску в глазах, то вспомнил правило: лежачего не бьют. И попытался его немного успокоить.

— Ладно,— сказал я ему,— плюнь ты на них. На втором туре и я наверняка погорю.

Но меня допустили до третьего тура. На нем были все старые мхатовцы: Топорков, Массальский, Карев, Раевский и, конечно же, сам Блинников.

Я стал читать:

— «На вокзале Николаевской железной дороги встретились два приятеля...»

И хотя все смеялись, меня прервали на половине рассказа.

— Достаточно. Спасибо,— поблагодарил меня директор студии Радомысленский и спросил у Блинникова: — Вы как считаете, Сергей Капитонович?

— Все понятно, хватит,— махнул ладошкой Блинников.

Мне тоже все было понятно. Занавес за мной опустился. Я вышел на лестничную площадку и попрощался с ребятами, для которых экзекуция была еще впереди.

— Ну, пока, парни. Счастливо вам!

И стал медленно, как в замедленной съемке, спускаться по лестнице. И тут услышал, как кто-то наверху спросил:

— Кто тут Дуров? Есть тут Дуров?

— Есть! — крикнул я снизу, еще не понимая, кому бы тут мог еще понадобиться.

— Иди скорее. Тебя Блинников ищет.

Я поднялся, открыл дверь в студию и сразу же столкнулся с Сергеем Капитоновичем.

— Ты все еще здесь маешься? Можешь бежать домой: мы тебя приняли,— засмеялся и ткнул меня пальцем в живот.

Вот так и решилась моя судьба.

«Тяжело в ученье — легко в бою»,— сказал великий полководец.

Не знаю, как со второй частью этого изречения (в боях не был), а с первой ее частью согласен полностью. Нас не щадили с утра до вечера. Это не средняя школа, где можно было смыться с уроков и проторчать в туалете в компании таких же прогульщиков.

Расписание было таким плотным, что иголку не просунешь:

Мастерство актера.

История русского театра.

Сценическая речь.

Французский язык.

Западная литература...

И так далее и тому подобное, чему не видно ни конца ни края. И вечером опять «Мастерство актера...» Студию обычно покидали очень поздно, а с утра...

— Си-се-са-со-су-сы! Си-се-са-со-су-сы!

— Дуров, ну что это! «Си-се»... Уколи, уколи, как булавочкой, с двумя «с»: с-с-и! А из тебя будто пар выходит. Ну, давай еще!

— С-с-и, с-с-е, с-с-а, с-с-о, с-с-у, с-с-ы...

— Ну ладно, хотя бы так.

Тон академический, безапелляционный:

— Петров-Водкин говорил о современном мире образами-метафорами, в невероятном открывая перспективы его перемен, а в обычном — силу тех традиций, которым должен этот мир подчиниться в своем движении. Он мечтал об очищении человечества и лелеял идею его обновления.

В «Купании красного коня» эти традиции... Звонок? Да-да, слышу... Следующий раз мы встречаемся с вами в субботу.

А это уже упражнения для тела.

— Кульбит вперед, кульбит назад... Вперед, назад! Вперед, назад!..

— Взяли рапиры. Та-а-к!.. Шестая позиция. Кисть руки держите на высоте груди. Та-а-к! Локоть отодвинут от тела на пятнадцать-двадцать сантиметров и слегка согнут. Так. Кисть развернута ладонью вверх. Рапира является как бы продолжением предплечья, острие находится примерно на высоте шеи бойца.

Шаг вперед — раз, два! Шаг назад — раз, два! Шаг вперед — раз, два! Выпад — коли! Стойка! Хорошо. А теперь по кругу — марш!

От топота копыт пыль по полю летит,
Пыль по полю летит от топота копыт,
От топота, от топота, от топота копыт
Пыль по полю, пыль по полю, пыль по полю летит.

— Быстрее, быстрее!.. Еще быстрее!..

Сшит колпак не по-колпаковски,
Вылит колокол не по-колоколовски,
Надо колпак переколпаковать, перевыколпаковать,
Надо колокол переколоколовать, перевыколоколовать.

— Быстрее' Быстрее! Еще быстрее!
Язык начинает заплетаться, но все же, в конце концов, находит свое место.

Этюды, этюды, этюды...
Беспредметные, с воображаемыми предметами, на память физических действий, с текстом и без текста...

У нас сложилась троица: Горюнов, Анофриев (тот, который сейчас поет на эстраде, сам пишет песни и много снимается в кино) и я.

И как только педагог спрашивал: «Кто приготовил новый этюд?», мы выскакивали первыми.

— Опять вы? Ну давайте.

И мы давали! Кого и чего мы только не переиграли! Но мне запомнился, как мне кажется, наш самый лучший этюд «В окопе». Тогда мы еще проходили этюды без слов.

В маленьком окопе (им служили поваленные стулья) три бойца отражают танковые атаки противника. Рычать моторами мы попросили наших товарищей. По общей договоренности, я погибал при отражении первой же атаки. Пуля попадала мне прямо в сердце. И чтобы было понятно, что рана смертельная, я хватался руками за левую сторону груди. А товарищи, скорбно постояв над моим телом с обнаженными головами, должны были снова взяться за оружие и отражать атаки противника. Потом по нашему сюжету должен был погибнуть Горюнов. Анофриев оставался один. Он обвязывался гранатами и бросался под танк.

Это по сюжету, который мы приняли единогласно.

И вот мы начали. Залегли среди стульев, и студенты зарычали: танки пошли!

Мы трататакали из воображаемых автоматов, ухали разрывавшимися снарядами, бахали гранатами, вжикали пулями, свистели осколками. Все получалось очень здорово!

Но — мне вдруг не захотелось умирать. Какого черта я должен умирать, если есть возможность повоевать еще!

Атака была отбита. Мои соокопники посмотрели на меня и в недоумении переглянулись: он живой!

Началась вторая атака. Я понял, что надо получить хотя бы легкое ранение, схватился за плечо и застонал. Ко мне подполз Горюнов и, перевязывая меня, зашептал:

— Ты что, спятил? Мы же договорились — лежи тихо!

— Ничего не спятил! — зашипел я.— Умирай сам! — И пополз на боевую позицию.

Та-та-та-та-та-та-та-та! У-у-у-у-у-ух!

Меня опять ранило, но не смертельно. И я продолжал стрелять.

И вдруг Анофриев заорал:

— Пристрели его! Он же мучается!

Горюнов сделал скорбное лицо, сморщился, отвернулся и выстрелил в меня из указательного пальцах:

— Чпа-а-ах!

Я вздрогнул, немного подумал и понял, что делать мне больше нечего и пора умирать.

А они, поднявшись во весь рост и обнявшись, поддерживая друг друга, так как тоже получили не одно ранение, запели почему-то:

— Ра-аскинулось мо-оре широ-око-о!..

И пошли на танки.

Мужественные люди... Этюд продолжался двадцать три минуты.

А Герасимов потом, после небольшой паузы, сказал:

— С завтрашнего дня начинаем этюды со словами.

Видно, понял Учитель, как нам хочется выразить свои чувства словами...

Мы учились на втором курсе, когда сказали, что нам оказана честь быть занятыми в дипломном спектакле «Бронепоезд 14-69». Ставил спектакль Павел Владимирович Массальский.

Мне тоже доверили поучаствовать в эпизоде, где я играл беженца. Но увлекло меня совсем другое.

Ведь что такое бронепоезд? Это грохот тяжелых вагонов-башен, перестук литых колес на стыках и стрелках, выстрелы, залпы...

Я подошел к Массальскому и сказал:

— Павел Владимирович, можно я сделаю шумы для вашего спектакля?

— А ты умеешь? — недоверчиво посмотрел на меня Массальский.

Я снисходительно улыбнулся.

— Спрашиваете тоже...

— Ну, давай!

Понятно, что шумами до этого я никогда не занимался. И даже представления об этом не имел ни малейшего. Но как это делали другие, мне не нравилось. Ведь всегда кажется, что ты можешь сделать намного лучше. Здесь можно было бы порассуждать о самомнении, но я не стану отвлекаться.

И вот я начал экспериментировать. Прежде всего я собрал солидную бригаду добровольцев. Мы натаскали кровельного железа, куски рельсов и устроили сложнейшую сигнализацию.

И вот спектакль!

Я проверил готовность нашей «аппаратуры» — все на месте, все под контролем.

Мужики стоят на рельсах и ждут прибытия бронепоезда. Кто-то должен пожертвовать собой, чтобы остановить его.

И вот издалека: ши-ши, ши-ши, ши-ши, ши-ши... Идет! Красиво идет!

Резонатор (деревянный ящик с фанерными боками) вступает за резонатором. Щетки, утыканные гвоздями, сыпят с боков резонаторов опилки. Ах, как хорошо!

— Приготовиться стыкам! Пошли!

Та-та-та, та-та-та, та-та-та, та-та-та!

Прекрасно! Поезд приближается.

— Врежь, ребята!

Та-та-та! Та-та-та! Та-та-та!

— Железо! Начали!

Зза-за-за! Зза-за-за! З-з-за-а!..

Нервно запели листы кровельного железа в руках увлеченных «ассистентов». Так и надо!

— Большой барабан!

Бу-а-а-а-а-а!.. Бу-а-а-а-а-а!..

— Залп!

Боже мой! Ахнуло все сразу! Дрогнули старые стены. В конце коридора что-то с грохотом рухнуло. На вешалке испуганно взвизгнула тетя Дуся:

— Господи! Да что ж это такое!

Я весь в поту. У меня у самого мурашки бегут. Фурор!

В зале овация! Прибежали из МХАТа — ведь наши здания рядом.

— Что тут у вас происходит?

— Спектакль.

— У нас чуть все стекла не вылетели! Мы думали — салют! Но ведь никакого праздника нет! Еще один такой спектакль — и рухнет вся наша альма-матер!

Да, хотя мы и наделали много шума, но «Бронепоезд» не прошел.

Студия подарила нам много личных знакомств не только с большими театральными деятелями, но и с великими государственными мужами. Сейчас-то об этих «мужах» и память, небось, выветрилась, а тогда!..

Ведь наша студия находилась рядом с Красной площадью, а стало быть, и рядом с Кремлем, и мы имели удовольствие наблюдать многих вершителей судеб тех времен. (Хотел добавить: «Эти встречи оставили неизгладимый след в наших сердцах». Но мое сердце почему-то запротестовало).

Первый раз я увидел Никиту Сергеевича Хрущева при открытии одного из подземных (подуличных) переходов на улице Горького. Сама идея переходов пришла в голову Хрущева после его визита в США. Очень она ему понравилась, и он решил претворить ее в действительность.

И вот выхожу я как-то из Проезда МХАТа на улицу Горького. На углу застыла небольшая толпа. Суетятся взволнованные официальные лица, одетые как манекены. Нетерпеливо смотрят в сторону Красной площади. Явно кого-то ждут.

И вот вижу, действительно,— несется «членовоз», резко тормозит и из него вылезает Хрущев. В шляпе, которая давит на уши, и в серо-голубом костюме.

Толпичка напряглась. И вдруг от нее отделяется мужичонка, простирает руки вверх и с криком: «Господи!» начинает пятиться перед Никитой Сергеевичем. Пятился, пятился, и, желая, наверное, выразить верноподданнический восторг, завопил:

— Хинди — руси! Пхай-пхай!

Хрущев остановился, побагровел и заорал на всю улицу Горького:

— Ах ты, пьянь! Ах ты, рожа! А пошел ты на..! — И выкрикнул известный адрес.

Мужичонка нырнул в толпичку и растворился в ней. А Никита Сергеевич никак не мог успокоиться:

— Вот пьянь! Я те дам пхай... говно собачье.

И, выкрикивая, притоптывал коротенькой ножкой в какой-то странной кустарной босоножке, и звук босоножка издавала необычный: блямкающе звонкий. И я увидел, что босоножки подбиты железными подковками. Экономный был мужик Никита Сергеевич.

Кто-то из официальных лиц подскочил к нему с подушечкой, на которой лежали огромные ножницы.

— Никита Сергеевич, пожалуйста!

— А побольше не могли найти? Ведь надорваться можно! Я те дам пхай, морда пьяная...— И пошел по ступенькам вниз разрезать ленточку.

И тут с визгом подлетели черные машины. Из них стали выскакивать плотные ребята в одинаковых костюмах.

— Где он?! Где он?

Вся толпа молча показала пальцем в преисподнюю улицы Горького. Ребята ринулись туда.

А в это время Хрущев вышел с другой стороны, сел в подкатившую машину и умчался в Кремль. Охрана так и не настигла его.

А переход был открыт.

Вторая моя встреча с Никитой Сергеевичем произошла на том же самом месте.

Когда-то на углу улицы Горького и Проезда Художественного театра был коктейль-бар. Потом, видно, по морально-политическим соображениям его переделали в кафе-мороженое. И, несмотря на такую метаморфозу, в него всегда стояла очередь.

И вот однажды стоим. Ждем. Подъезжают три черные «те» машины. Из одной выходят Хрущев и Тито.

— Ребята, вот Броз интересуется, за чем очередь.

— За мороженым, Никита Сергеевич.

— Слышь, Броз, это за мороженым. Чего? Тоже хочешь? Ну давай встанем.

Все зашумели.

— Да вы что, Никита Сергеевич! Ну уж вы... Проходите!

— Уважаете? Ну ладно, пойдем без очереди, Броз... Ой, а у меня и денег-то нет. Ребята, дайте кто-нибудь пятерку, нам хватит.

Подскочил охранник.

— Никита Сергеевич...

— Не, у тебя не возьму. Ты охрана — вот и охраняй. Я у людей прошу.

Я стоял рядом с Хрущевым и протянул ему пятерку.

— Пожалуйста, Никита Сергеевич.

— Спасибо, а то видишь — без копейки. А ты,— обращается к охраннику,— запиши его адрес, я потом дам тебе деньги и ты перешлешь ему.— И опять ко мне: — Ты не волнуйся, я верну.

— А я и не волнуюсь.

Никита Сергеевич доволен:

— Видишь, Броз,— верят. Ну, пойдем.

Через неделю я получил перевод на пять рублей. Тогда почта к переводу менее десяти рублей не принимала.

Четыре года пролетели в студии как один день. И вот государственные экзамены, дипломные спектакли.

Я был занят в нескольких, но основным и любимым для меня был «Егор Булычов». Ставил спектакль Сергей Капитонович Блинников. И работал он с нами уже, как с профессиональными актерами.

Я был одним из его любимых учеников. В студийном капустнике был даже такой номер.

Заседает педсовет Студии.

— Сергей Капитонович, что вы будете ставить?

— «Гамлета».

— А кто Гамлет?

— Левка, кто ж еще!

— А потом что будете ставить?

— «Брандта» Ибсена.

— А кто Брандт?

— Левка, кто ж еще! Ну, а на диплом будем ставить «Булычова».

— А кто Булычов?

— А Булычов... Конечно, Левка, кто ж еще!

Это было близко к правде, но в «Булычове» я играл трубача. Я использовал весь арсенал «старого» театра: парик, наклейки и даже гуммозный нос, весь в дырочках: надо было прятать молодость...

Смешно, смешно!.. Прошло время, и в спектакле «Снятый и назначенный», где я играл молодого ученого, мне уже пришлось прятать... ну, не старость, конечно, но полянку на голове пришлось прикрыть бойкой накладочкой.

Почти всегда на сцену с трубачом приходили студенты с других курсов. Набивались в тесные кулисы и аплодировали вместе со зрителями. И мы все были горды и счастливы.

Много лет спустя я был приглашен на эту роль в кино. И вот втроем: М. Ульянов (Булычов), С. Соловьев и я бьемся над этой сценой... Бьемся уже несколько дней, а нужное, единственное решение так и не приходит.

Я уверен, что в дипломном спектакле эту роль я играл лучше: тоньше, драматичнее, чем в фильме, где я снимался, будучи уже опытным актером.

И вот окончен дипломный спектакль. Сняв вазелином грим, я пошел по длинному студийному коридору к «своим», которые были на спектакле.

— Молодой человек, как мне найти Дурова? — останавливает меня солидный мужчина, чем-то напоминающий грека Дымбу в фильме по чеховской «Свадьбе», того, который говорил: «В Греции все есть». Только человек этот без усов, очень деловой и спокойный и говорит с небольшим восточным акцентом.

— Я Дуров.

— Я вас не узнал. Вы ведь в спектакле весь заклеенный. Очень хорошо вы играете.

— Спасибо.

— Я Шах-Азизов. Директор Центрального детского театра. Хотите работать у нас? У нас очень хороший театр.

— Да, я знаю. Мне Олег Ефремов рассказывал. Он ведь у вас играет, а у нас преподает. Да и спектакли я ваши видел.

— Понравились?

— Да.

— Ну, вот и хорошо. Считайте, что вы в нашей труппе.

— Но ведь комиссия...

— Я уже договорился. Очень хорошо играешь. Ну, отдыхай.

В сентябре я пришел на первый в своей жизни сбор труппы, где встретился с Анатолием Васильевичем Эфросом, с которым мы потом не расставались почти двадцать семь лет. А в Центральном детском театре я проработал около десяти лет. Сколько же ролей было сыграно! И каких!

Уверен, что далеко не каждый актер может похвастаться, что он играл... репья! Да-да — именно репья! Липкие колючки, которыми так любят бросаться дети. А потом матери, причитая, выстригают эти колючки из их спутанных волос. И была у репья даже любовь (конечно, в рамках детского театра) — петунья. А под финал появлялся даже маленький грудной репейничек!

Или, скажем, огурец! И не какой-нибудь огурец, а молодой. Так и в программе стояло: Молодой огурец — Л. Дуров.

А кто играл тучку? Ну кто? Никто! А я играл. Сам придумал решение и сам играл. И летал на семиметровой высоте, повиснув на веревочной лестнице в гриме эффелевского бога, в фартуке, резиновых сапогах и с лейкой в руках.

И добрая волшебница, которую играла Валентина Александровна Сперантова, кричала мне снизу:

— Здравствуй, тучка!

А я ей сверху в ответ:

— Здравствуй, мать!
Что изволишь приказать?
Хочешь снега или града?

— Снега, града — нам не надо.
Ты листочки поскорей
Теплым дождичком полей,
По листочкам постучи,
Только нас не замочи.

И я, полив цветочки из лейки и потанцевав с жучками и букашками, улетал дальше.

> — Полечу теперь опять
> Кукурузу поливать!

Это был очень красивый спектакль — «Цветик-семицветик». Огромная деревянная жирафа, качая своей длинной шеей, прощалась с детьми:

— До свиданья, до свиданья, до свиданья.

Зал хором отвечал:

— До свиданья, до свиданья, до свиданья!

И сцену заполняли огромные разноцветные шары. Они медленно плыли в воздухе и звучал вальс.

— До свиданья, до свиданья, до свиданья...

Каждый новый спектакль был для нас огромным творческим событием. По причине нашей «детскости» острые общественно-политические страсти обходили нас стороной.

Но вот однажды в моей квартире раздается звонок. Срочно вызывают в театр. Что такое? По телефону не объясняют. Приезжаю.

— Сегодня на спектакле «Двадцать лет спустя» будет товарищ Хо Ши Мин.

— Ну и что? — спрашиваю.

— Надо хорошо играть.

— А я плохо не умею.

— Бросьте ваши дуровские штучки! Отнеситесь к этому серьезно!

И я понял, что действительно шутки неуместны: к полудню театр заполнили какие-то молчаливые спортивной выправки люди. Все осматривали, все обстукивали и молчали. В театре воцарилась странная напряженная и таинственная атмосфера. Как будто вотвот что-то должно было случиться. Наконец кто-то шепотом сообщил:

— Приехал...

С небольшим опозданием начали спектакль по пьесе Михаила Светлова. Самого автора искали целый день, но так и не нашли.

Играем. Волнуемся. А зал смотрит не на сцену, а на дедушку Хо, который сидит со свитой в ложе. А вот и финал. Дедушка Хо громко аплодирует, кричит:

— Браво!!

И весь зал начинает орать:

— Браво!!!

Кланяемся минут пять. Полный успех! Радостные расходимся по гримуборным, а там везде «мальчики».

— Не раздевайтесь, не разгримировывайтесь: сейчас придет «сам».

И вот появляется «сам». Улыбающийся от уха до уха, с козлино-козьей бородой на желтом лице — дедушка Хо.

— Дорогие мои! Ну как хорошо вы играете! Вот молодцы! — причитает он на чистом русском языке.— Вот порадовали старика! Спасибо, спасибо вам, родные. Я подумал, зачем цветы? Ведь завянут. И решил привезти вам конфеты.

Тут же внесли огромные круглые коробки. А я понял, как ловко он выкрутился. Когда ему сказали: «Детский», он подумал, что в этом театре играют не артисты, а дети, вот и привез конфеты.

Он стал громко и долго всех хвалить, начал нам пересказывать содержание пьесы. А высокий красивый брюнет, заслоняя собой проем двери, нетерпеливо покачивал головой. Потом вдруг сказал, бесцеремонно оборвав дедушку Хо на полуслове:

— Хо, Хо! Все, все, хватит болтать! Баиньки, баиньки! — И хлопал при этом в ладоши.

— Подожди ты! Кто при ком? — отмахнулся Хо и попытался продолжить.

— Ну все, надоело! — не выдержал красивый брюнет.— Берите его, ребята!

Два здоровенных парня отделились от стены, взяли под руки Хо, оторвали от пола и понесли на выход. Дедушка Хо, перебирая в воздухе ножками, кричал:

— Ну, видали, как обращаются с одним из лидеров мирового коммунистического движения? Видали?

А брюнет шел следом, хлопал в ладоши и приговаривал:

— Баиньки, баиньки... Уморил ты нас за день, говорун ты наш. И нам пора бай-бай.

Дедушку Хо унесли.

А мы набросились на конфеты.

И — никаких международных конфликтов.

Иногда, желая похвалить какого-нибудь актера, говорят: «Он играет не на технике», вкладывая в слово «техника» пренебрежительный смысл.

Так как же с ней быть — с этой самой техникой? Нужна она или нет? И вообще, что это такое? Что под ней подразумевается?

Конечно, техника необходима, и не элементарная, а профессиональная: хорошая дикция, умение двигаться, владеть своим телом и тому подобное. Это актерская азбука.

В моем понимании владение техникой — это внутренняя подвижность, умение мгновенно менять психологические ходы, готовность в любой момент на высшие проявления. Это каждодневная мобилизация себя с утра до вечера, а, как правило, выходных у актеров не бывает. Подчинение своего настроения, и может быть, и использование его. Я думаю, что такое понятие, как вдохновение (а оно несомненно существует), тоже является техникой.

Ведь что такое вдохновение? Это радость от умения и внутренняя свобода, когда тебе подвластно течение спектакля, его ритм, его музыка, когда ты готов увидеть и принять любое движение партнера, когда ты готов к импровизации.

Конечно, техника необходима. Нельзя же каждый вечер буквально переживать смерть близкого человека («Брат Алеша», «Ромео и Джульетта») или собственную смерть («Отелло», «Ромео и Джульетта»). Но сыграть истинно, сыграть приближенно к подлинному — актер просто обязан.

В связи с этим расскажу одну историю.

Эфрос ставил, здесь же, в ЦДТ, пушкинского «Бориса Годунова», где Воронов играл царя Бориса, а я — царевича Федора. И вот, как мы ни бились, никак у нас не получалась сцена смерти Бориса Годунова и прощания его с сыном. Не получалась — и все!

Сцена известная. Умирающего Бориса вносят бояре. Вбегает царевич.

— Подите все,— говорит Борис.— Оставьте одного царевича со мной. Умираю! Обнимемся!

Царевич бросается у умирающему отцу, и тот дает ему наставления, как править государством и как вести себя:

— Прощай, мой сын, сейчас ты царствовать начнешь.

Разбираем сцену. Конечно, наивно думать, что Борис просто дает наставления. Скорее всего, это от страха за судьбу ребенка, который остается наследником среди бояр, перед которыми сам царь Борис часто бывал бессилен. Да еще царевна-дочь. Значит, скорее всего, это говорит отец, а не царь. И хочет он сказать своему сыну как можно больше. Нужно успеть, успеть... А смерть все ближе и ближе...

Кажется, все ясно, но не получается. И вот мы договорились с Вороновым встретиться до репетиции, кое-что попробовать и показать Эфросу. А договорились мы вот до чего: Иван Дмитриевич представит по-настоящему, мобилизовав всю свою фантазию, что он действительно умирает, настроится на это. А я представлю, что это умирает мой отец...

Такая уж профессия — приходится подкладывать и самое страшное.

Сговорились. Пришел Эфрос. Репетировали в кабинете Марии Осиповны Кнебель. Мы переглянулись и начали сцену.

Я вбежал в кабинет и увидел бледного Воронова в кресле. Губы у него тряслись. Он открыл глаза, в них была жуткая боль.

— Умираю, обнимемся...

Я бросился к нему и зарыдал. Стал гладить его лицо, встряхивать, отгоняя оцепенение. У Воронова по щекам потекли слезы.

— Советника, во-первых, избери... Для войска ныне нужен...

Из кресла он сполз на пол, а я лежал, уткнувшись в его колени, и рыдал. И вдруг речь Воронова стала сбивчивой, а затем началось просто бормотание.

Я посмотрел на царя-батюшку и перестал играть. Лицо у него было белым как простыня, вокруг рта обозначился черный клин, глаза закатились. Он умирал!

Эфрос бросился к телефону и стал вызывать «неотложку». А я выскочил в фойе и стал орать:

— У кого есть что-нибудь от смерти?!

Воронов потерял сознание и лежал на стульях, куда его перенесли. Что-то ему дали или влили, я уже не помню, но он открыл глаза и сел.

— Вы с ума сошли...— говорил бледный Эфрос.— Да разве так можно? Это ж театр, а не... Это ужасно!

Все обошлось, слава Богу. Иван Дмитриевич на моей памяти никогда не болел. Это был крупный и сильный человек. За кулисами он часто проделывал такой фокус: брал в руку большой гвоздь и с размаху пробивал им толстенную доску.

И хоть этот случай был действительно ужасным, но на нем я понял, сколь велики возможности актера. А Воронов потом мне часто с гордостью говорил:

— Ну, как мы с тобой тогда! Пусть кто-нибудь так попробует, а мы посмотрим!

А мне, честно говоря, очень не хотелось, чтобы он еще раз так «попробовал» — это бы добром не кончилось.

В 1955 году Виктор Сергеевич Розов написал свою комедию «В добрый час» и принес ее Эфросу. С тех пор драматург остался верен нашему театру, и все свои пьесы приносил нам: «В поисках радости», «Неравный бой», «Перед ужином»...

И я был занят во всех этих спектаклях, что доставляло мне огромное счастье и приносило большое творческое наслаждение.

Но особенно запомнился первый спектакль, может быть, потому, что я сыграл в нем у Эфроса свою первую роль. Конечно, не только поэтому. Это был великолепный спектакль, на который валила вся Москва.

У меня сохранилась фотография: участники вместе с гостями. А среди гостей: Б. Бабочкин, Л. Утесов, В. Марецкая. И это только на одном спектакле. А играли: Людмила Чернышева, Олег Ефремов, Валерий Заливин, Маргарита Куприянова, Олег Анофриев, Матвей Нейман, Геннадий Печников, Галина Новожилова.

Не стану объяснять, почему спектакль стал событием в театральном искусстве, потому что об этом хорошо сказал еще в то время драматург Николай Погодин:

«Раздумывая о нашем искусстве драмы, мы часто с беспокойством оглядываемся вокруг — что-то нет и нет ничего нового, ибо не всякая пьеса, впервые поставленная на сцене, есть новая пьеса. Понятие новизны в искусстве, не говоря уже о «новом слове»,— понятие емкое, содержательное и многообещающее. Как в науке, так и в искусстве под этим понятием скрывается какое-то открытие. И таких пьес, которые бы открывали нечто новое для нас, мы долгое время не видели.

Но вот сегодня явилась живая пьеса и такой спектакль, и мне радостно сделать это обязывающее предисловие и назвать пьесу драматурга В. Розова и спектакль Центрального детского театра «В добрый час» выдающимся событием в жизни нашего искусства. Искусство, если под него даже подводить вещественность и даже видеть в нем живую Мельпомену с ее характером, сколько мне доводилось наблюдать, совершенно не заботится о местоположении, адресе и признанности сцены и уживается там, где ему, искусству, лучше всего дышится. Вот что мне хотелось сказать о театре, именуемом Центральным детским, о молодом режиссере А. Эфросе, о всем ансамбле, явно дружном, остро творческом, сыгравшем этот спектакль».

Это было нашим началом. И все мы тогда были молодыми. А потом нам принес свою первую пьесу «Друг мой, Колька» молодой Александр Хмелик. И тогда Эфрос впервые пригласил меня в режиссуру, назначив своим ассистентом. Это был мой дебют в режиссуре.

Собственно, дебютантами были все: актеры, студенты драматической студии ЦДТ, всего полтора года тому назад закончившие школу, и, как ни странным это может показаться, постановщик спектакля Эфрос. Так как впервые в этом спектакле он выступил не только в привычной роли режиссера, но и в качестве педагога.

Кольку играл Сайфулин, теперь известный актер. Играл блестяще! Да все играли прекрасно: и Лакирев, и Гулая, и Аванесов, и Логвинов, и Захарова, и Дмитриева, и Чернышева, и Калмыков...

Главный режиссер Центрального театра Советской Армии Алексей Дмитриевич Попов, посмотрев спектакль, сказал:

— Их могут переиграть только собаки! Настолько они естественны и правдивы.

А одна из газетных рецензий заканчивалась так:

«Существует особый вид художественной удачи, когда произведение перерастает свою ближайшую цель. Часто говорят о каком-либо детском (иногда и о взрослом) спектакле: «Конечно, серенький, средний, но... учит».

Это неверно! Скука и посредственность никогда не могут быть воспитателями. Воспитывать может только яркая художественная удача, такая, например, как «Друг мой, Колька»...»

Здесь ничего ни убавить ни прибавить, и я с чистым сердцем подписался бы под этими словами.

К глаголу «учить» вообще следует относиться очень осторожно и бережно. В конце концов, искусство никогда и ничему никого не учило и не учит. У него другая задача: оно воспитывает! Помните, у Пушкина: «...чувства добрые я лирой пробуждал». Вот это и есть великая цель искусства: пробуждать в людях добрые чувства. А учить...

Надежда Мандельштам, вдова поэта Осипа Мандельштама, в своих воспоминаниях с возмущением и горечью писала о поразительном самомнении коммунистической партии, которая взяла на себя исключительное право «учить народ». Тот самый народ, который издревле является и носителем национальной идеи, и национального сознания, и национальной нравственности.

Сейчас это кажется какой-то чудовищной фантасмагорией, бредовой фантазией: сын сапожника (Иосиф Джугашвили) и сапожник (Лазарь Каганович) взяли на себя исключительное право учить и воспитывать великий народ с великими нравственными и культурными традициями. Королевство кривых зеркал!

И что поразительно! Когда эти учителя уже ушли в небытие, иные прилежные ученики с благоговением перенесли свое преклонение перед кумирами на предметы их обожания. Какими бы странными они ни были. Чтобы пояснить свою мысль, расскажу две истории.

История первая

Среди нашей братии бытует поговорка «волка кормят ноги, а актера — елки». Елки — это новогодние детские представления. Когда я работал в детском театре, то играл елки везде: в Колонном зале, в Парке культуры, в Кремле, в клубе «Каучук», в клубе Зуева. Где только не играл!

И вот однажды в Кремле между елками захожу в необходимую всем комнату с буквой «М».

Стою, журча. Рядом встает еще кто-то. Тоже журчит. Я скосил вниз глаза — вижу генеральские лампасы. И вдруг печальный вздох:

— Ох, ох, ох!.. — И через короткую паузу провоцирующее на вопрос: «Что вы говорите?»: — Да-а-а?!

Молчу, журчу...

— Да, молодой человек, а ведь вы и не знаете, что это любимый писсуар Климента Ефремовича Ворошилова. Да-да-да!..

И лампасы ушли. И столько было в этом «да-да-да» боли, что я невольно прервал прозаический ритуал.

Действительно, какой-то задрипанный артист узурпировал любимый писсуар легендарного полководца, луганского слесаря Клима. Правда, я до сих пор не знаю ни одного сражения, выигранного им, да и конармейскую тачанку, кажется, изобрели махновцы. Но это неважно. Все равно — легендарный.

Глядя в любимый фаянсовый маршальский эллипс, я выдержал секунду уважения и... дописал. Потом вымыл руки кремлевским мылом и отдал писсуару честь.

Скептики могут принять эту историю за актерскую байку. Но вот другая история, о которой мне поведал писатель К. Он просил не называть его имени только потому, что его приятель, очень известный писатель И., недавно ушел в мир иной, и ему не хотелось бы поминать его в связи с этим случаем.

Итак,

История вторая

Несмотря на разницу лет и неравное общественное положение, эти два писателя давно были на «ты»: их сближало родственное отношение к творчеству. Фронтовик И., кавалер чуть ли не дюжины боевых орденов, начиная с ордена Ленина, лауреат почти всех отечественных литературных премий, бессменный секретарь Союза писателей, был человеком скромным и общительным. Орденов никогда не носил и званиями не кичился. Писал он только о войне и о современной армии.

И вот в канун Нового года К. задумался: какой бы подарок сделать старшему товарищу? И тут вспомнил об одной вещице, которая несколько лет лежала у него в писательских закромах. Это был Атлас генерального штаба германских вооруженных сил, изданный в 1912 году. Форматом почти полметра на полметра. В толстой обложке, обтянутой голубым муаром. Как потом выяснилось, таких экземпляров сохранилось в мире только три. Это то, что известно. У К. был четвертый — неизвестный. С этим Атласом немецкий генштаб работал, готовясь к первой мировой войне.

Вот К. и решил подарить этот атлас своему другу. Дело было в Переделкине, где эти писатели жили недалеко друг от друга.

Пришел, поздравил с наступающим, и вручил обернутый в плотную бумагу атлас. Тот взял подарок и чуть не уронил: в нем было не менее пяти килограммов.

— Что это?

— Посмотри сам.

И. положил подарок на стол, развернул и открыл обложку. Долго смотрел на титульный лист, даже погладил его ладонью и, вздохнув, закрыл.

— У меня нет таких денег...— сказал он, чуть не плача от досады, что не может приобрести такую вещь.

— Ты что? — возмутился К.— Я тебе продавать пришел? Это тебе подарок к Новому году! Мне-то на хрен нужен этот Атлас? Я же не пишу о войне. А тебе сгодится для работы.

И тогда И., все еще не веря, что это — *его,* мотнул, не оборачиваясь, головой на шкаф, на котором всегда стояла батарея бутылок.

— Возьми, чего хочешь, а я еще посмотрю.— И он стал любовно гладить муаровую обложку, забыв обо всем на свете. Потом опомнился.— А чего ты стоишь? Садись, где тебе удобнее.

К. увидел в углу старое продавленное кресло в черной потрескавшейся коже и, чтобы не мешать товарищу восторгаться приобретением, плюхнулся в него. Услышав жалобный скрип пружин, И. резко вскинулся и вдруг рявкнул:

— Встань! Сейчас же встань!

К. подумал, что, видно, он рисковал проткнуть себе задницу лопнувшей пружиной, и вскочил.

— Ты знаешь, что это за кресло? — спросил его с придыханием И.

К. пожал плечами.

— Сталинских времен? — предположил неуверенно.

— Это любимое кресло Вячеслава Михайловича Молотова! — сказал И. с большим значением.— Когда он приезжает ко мне, то всегда садится в него.

И К. решил пошутить.

— Стало быть,— сказал он,— я могу теперь гордиться, что познакомился с Вячеславом Михайловичем жопами!

— Дурак,— сказал беззлобно И. и снова возвратился к Атласу.— Ладно, теперь садись. Главное, чтобы ты прочувствовал.

Что это — фетишизм? Тоска по безвозвратно ушедшим идолам? Не знаю. Пусть в этом разбираются психоаналитики. А я, как и мои товарищи по сцене, психическими расстройствами пока, слава Богу, не страдаю. И то, о чем я сейчас рассказал, в нашей среде было бы принято за байки. За шутки.

Кто из нас нормальный: шут, превращающий трагедию в фарс, или король, для которого фарс грозит обернуться трагедией? Не знаю. Шекспир знал.

Как ни условно театральное искусство (как будто искусство вообще не условность), а оно несет в себе больше реалий, даже в притчах и аллегориях, чем иные наши реалисты, у которых мозг превратился в рудиментарный придаток.

Интересы артистов, как и людей любой другой профессии, не могут ограничиваться лишь своей профессией. Иначе человек, перефразируя немного Козьму Пруткова, будет подобен флюсу. А это очень неудобное состояние.

Чтобы сохранить симметрию своей духовности, у нас в театре была учреждена Академия травильщиков. Для того, чтобы быть избранным в нее, нужно было рассказать историю, в которую бы все академики поверили. И если кто-то говорил: «Не верю», претендующий на столь высокое звание должен был доказать правдивость своего рассказа.

Собирались обычно в гримуборной перед спектаклем, когда все уже были в гриме и костюмах. Особенно выразительно это выглядело, например, перед спектаклем «Борис Годунов», когда среди академиков можно было увидеть царя-батюшку в бармах и шапке Мономаха, сурового патриарха, бродяг-чернецов Мисаила и Варлаама, князей и бояр в роскошных шубах. Это надо было видеть! И у каждого была своя определенная тема: у одного — медицина, у другого — любовные истории, у третьего — кино...

Истории рассказывали по очереди.

Вот князь Шуйский убеждает всех, что у Анкипулеметчицы были интимные отношения с Василием

Ивановичем. Доказательства? Пожалуйста. И князь начинает анализировать сцену, где Петька объясняет Анке устройство пулемета, а сам кадрится к ней. И тут на самом интересном — затемнение. Ведь в те времена интимные сцены не показывали. Но! В следующем кадре появляется злой, как собака, Чапаев. Ему уже, наверняка, обо всем доложили, и он не находит себе места. Его, как Отелло, гложет яростная ревность! Возражений нет. Убедил.

Была у нас артистка Струкова. Она играла всех баб-Яг. Как-то она рассказывала:

— Пришла я однажды к врачу. А тот что-то пишет и, не глядя на меня, говорит: «Раздевайтесь». Я зашла за ширму, разделась и вышла. Врач поднял голову и чуть не свалился со стула. «Боже,— говорит,— что с вами?..»

Это была потрясающая баба-Яга. И вот она тоже пришла в Академию и говорит:

— А я вчера видела розовую собаку.

И кто-то с ходу сказал:

— Не верю.

— Да? — улыбнулась она своей очаровательной улыбкой.— А я сейчас пойду с вами и покажу то место, где стояла эта розовая собака.

И такого доказательства было достаточно.

За актером Устюговым были наивные новеллы.

— Вот я сижу вчера на берегу реки и ужу рыбу,— рассказывает он.— У меня была сигарета в зубах. Незаметно я задремал и упал в воду. Гляжу, а я уже на дне! И сигарету курю.

И на этот раз никто не сказал: «Не верю», потому что он взял бы с собой свидетелей, пошел и показал тот берег, на котором он сидел.

Я попал на заседание Академии, как только пришел в театр.

— Ну, Дуров,— спрашивает председатель,— есть у тебя что-нибудь?

— Есть,— говорю.— Вот тут шофер ехал по горной дороге, потерял управление, выпал из кабины, зацепился челюстью за дерево и его оскальпировало. Потом его нашли, починили и сейчас он жив-здоров и снова за рулем.

Все вытаращили глаза, а председатель и говорит:

— Прости, старик, ты у нас первый раз, но мы тебе выражаем общее недоверие.

Очень я тогда обиделся и побежал на почтамт звонить в Винницу, где я прочитал эту статью: «Срочно вышлите «Медицинский вестник». И мне прислали. Я пришел на следующее заседание и положил им журнал на стол — вот!

А там сидели Ефремов, Печников, другие известные артисты. Они просмотрели статью, изучили чертежи, по которым восстанавливали человека, и вынуждены были признать, что я оказался прав.

— Быть тебе, Дуров, председателем.

И ведь что интересно: не мальчишки играли, а взрослые люди, известные на всю страну артисты. И играли серьезно, по-настоящему, без тени улыбки.

Иногда заходил Эфрос, останавливался в дверях и слушал. Но он не участвовал в заседаниях, потому что был человеком слишком серьезным и прекрасно понимал, что тут же проиграет. А мы что? Так, вроде скоморохов.

В 1963 году я перешел из Центрального детского театра в Театр имени Ленинского комсомола. И мое знакомство с ним началось с забавной истории.

Ведет меня Эфрос представлять директору театра Анатолию Андреевичу Колеватову. Идем за кулисами. Нас встречает актер Саша Покровский в нарочито рваной рубахе и с нагримированными кровоподтеками на лице.

— Левочка,— говорит он,— мы очень рады, что ты к нам приходишь. Правда, правда — все рады. Анатолий Васильевич, я задержу Леву на минутку. Он мне очень нужен. А потом сам провожу его к Анатолию Андреевичу.

И Эфрос уходит.

— Лева,— говорит мне Покровский,— сейчас идет детский спектакль. Я партизан. Немцы только что допрашивали меня, пытали. Исщипали, сволочи, всего. Сейчас я им отомщу и провожу тебя. А-а! Вот они сейчас получат, смотри.

Освещается сцена. Немецкий штаб. За столом сидят эсэсовцы в черной форме с черепами и повязками на рукавах со свастикой: Михаил Державин, Всеволод Ларионов и Леонид Каневский. Покровский прижимается к кулисе и тихо, но очень целенаправленно начинает шептать:

— Немцы, немцы, среди вас еврей... Слышите, немцы, среди вас еврей.

Каневский начинает трястись от хохота и сползать под стол. Два других эсэсовца надвигают фуражки на глаза и начинают подвывать. А Саша упорно продолжает:

— Немцы, немцы, у вас под столом еврей... Немцы, под столом еврей.

Все «фашисты» и за столом, и под столом всхлипывают, хрюкают, скулят... Ларионов сквозь зубы цедит:

— Закройте занавес, закройте... не могу!!!

Занавес пошел. Заседание штаба не состоялось.

— Все,— сказал Саша,— отомстил я немецко-фашистским палачам. Пойдем к Анатолию Андреевичу. Только ни ему, ни Эфросу ни слова, а то они мне такое устроят!.. Пойдем.

А еще Саша отличился, когда выпускали спектакль «Семья» по пьесе Попова. Это про семью Ульяновых. Володю-гимназиста играл Г. Сайфулин, брата Александра — Покровский, а С. Гиацинтова играла мать.

И вот сдача спектакля. В зале все: и министерство, и главки, и райком, и горком, и все другие «комы». В обязательных черных костюмах, при галстуках — мужчины и дамы с косами, уложенными, как нимбы у святых (сравнение сомнительное, я понимаю).

Начинается сцена, когда Александр Ульянов после каникул собирается в Петербург готовить покушение на царя. Покровский, стоя на середине сцены, собирает чемодан. Вбегает золотоволосый, курчавый Володя. Сборы брата для него неожиданность.

— Саша, ты куда?

А Саша, спокойно укладывая вещи в чемодан, отвечает:

— В Ленинград.

— Куда, куда?! — широко открыв глаза, спрашивает Володя.

— В Ленинград, в Ленинград,— опять же спокойно отвечает брат.

Сайфулин взвыл, показал зрителям пальцем на брата и убежал со сцены.

А из-за кулис был слышен голос Гиацинтовой, которая давилась от смеха:

— Не пойду я на сцену! Не пойду! Пусть он уезжает, куда хочет! Не пойду!..

А Саша, ничего не понимая, стоял один на сцене и продолжал тупо складывать вещи в чемодан. Из зала раздался обреченный голос Колеватого:

— Занавес закройте, пожалуйста...

Черные костюмы и нимбы мрачно покидали зал... А царя, как известно, все равно убили.

Театр Ленкома гастролировал по всей стране. И каждая поездка была для нас огромным праздником. Порой «истории» начинались уже в поезде.

Как-то поехали мы на очередные гастроли. Меня пришли провожать мои друзья-акробаты братья Воронины. Они, любя меня, притащили какую-то чудодейственную мазь, избавляющую от облысения. Где-то в Тбилиси ее раздобыли. Странная масса, пахнущая чесноком. Всучили мне банку и пластиковую шапочку. Проинструктировали: втирай, дескать, на ночь в лысину, натягивай шапочку, а утром смывай. Недели через две волос попрет!..

Значит, поехали. Я в одном купе с нашей примой Ольгой Яковлевой, а в соседнем — неугомонная четверка: Гена Сайфулин, Валя Смирнитский, Георгий Мартынюк и Игорь Кашинцев. Ребята сразу же начали «соображать». Вскоре скребутся ко мне:

— Дед, дай чего-нибудь закусить.

— Да нет у меня ничего.

— Ну что ты жмешься — вон у тебя какая-то закусь в банках. И как раз чесноком пахнет.

— Мужики,— говорю,— это не закусь — мазь от облысения.

— Свистишь, дед.— И ушли, недовольные, допивать.

Гудели до утра, спать всем мешали. Думаю: надо ребят проучить. Вижу — на крючке висит парик Ольги Михайловны. Длинный, кучерявый. Натянул парик, вылез по пояс голый и в соседнее купе стал стучать. Открыли они и спьяну глаза вытаращили. А я им этак торжественно-возмущенно:

— Что, суки, не верили?!

Смирнитский упал с полки и сломал руку. Мартынюк угрюмо пробормотал, обращаясь сам к себе:

— Допился...

У Сайфулина начались судороги. А лысый Кашинцев воскликнул с восторгом:

— Это, блин, жизнь! — И упал лицом в подушку.

Я удалился. А минут через пятнадцать они опомнились и стали ломиться в наше купе. Но строгая Ольга Михайловна их не пустила.

Весь гастрольный сезон Смирнитский ходил со сломанной рукой и смотрел на меня волком.

Да, актеры не могут не играть, не могут не разыгрывать друг друга. Это уж их профессия. Но инженеры-то при чем? Кажется, серьезные люди, всё у них на точных расчетах, на сухой математике и — туда же!

Приехали мы с гастролями в Югославию. Раз «Югославия», стало быть, это случилось еще при Советской власти. Не помню уж, в каком городе мы играли. Да это и не столь важно. Только я умылся с дороги, переоделся и вдруг раздается телефонный звонок.

— Это господин Дуров? — спрашивают на ломаном русском языке.

Тогда еще слово «господин» не было в ходу и звучало как-то непривычно. Это сейчас все «господа», «лорды», «леди» и «гамильтоны». Но раз спросили, нужно отвечать.

— Да,— говорю,— это я.

— Господин Дуров, с вами говорит внук генерала Врангеля. Я хотел бы с вами очень повидаться здесь.

Я, конечно, не то, чтобы струсил, но, знаете, в то время встречаться с внуком Врангеля... Ведь всегда есть в творческой группе какой-нибудь «второй режиссер», который вовсе и не «второй режиссер», а в крайнем случае майор, а то и подполковник. И можешь сразу сделаться невыездным. А я им уже был.

И человека обидеть мне не хотелось. Я так тактично ему говорю:

— Вы знаете, у нас очень сложное расписание.— Я его, действительно, не обманывал.— Я даже не представляю, когда мы можем встретиться.

— Да, очень жаль,— сказал он и повесил трубку.

День проходит, опять звонок. Звонит такой же интеллигентный человек.

— Господин Дуров?

— Да,— говорю,— господин Дуров.

— С вами говорит внук адмирала Колчака. Я живу здесь, в Югославии, и мне очень хотелось бы с вами встретиться.

И тоже разговаривает на ломаном русском.

Я ему говорю то же, что и внуку генерала Врангеля:

— Вы знаете, я очень занят. Ни минуты...

— Понимаю, понимаю, понимаю... Я вот тут со своим приятелем созвонился, и он мне тоже сказал, что очень трудно с вами встретиться.

Я сразу понял, кто у него приятель.

И вдруг прихожу я как-то со спектакля, и меня достает звонок. Слышу знакомый голос:

— Извините, что поздно звоню. Мы сидим сейчас со своим приятелем в номере на шестом этаже и ждем вас.

Ну, думаю, куда деваться? Пойду, и пропади оно все пропадом! Пускай буду невыездным, но не могу же я отказаться от такого гостеприимства! И вдобавок еще оказаться трусом.

Поднимаюсь на шестой этаж, стучусь в номер, который мне назвали. Открывают мне дверь два красивых мужика в роскошных костюмах. Смотрю — в гостиной стол накрыт.

— Садитесь,— предлагают.

Я сажусь, а они говорят:

— Как мы счастливы, что вы пришли. Мы смотрели все ваши спектакли. Вы такой замечательный артист!

Мы выпили, закусили, поболтали. Смотрю, они потихоньку-потихоньку начинают терять акцент и говорят уже на чистом русском языке. Я смотрю на одного, на другого — и ничего не понимаю. А они как начали ржать.

— Дуров,— говорят,— прости нас, пожалуйста, мы инженеры из Москвы, строим здесь комбинат. И мы так соскучились по своим, так захотелось пообщаться с земляком!

Мы хохотали тогда до упаду. И потом до окончания гастролей часто встречались. И они пришли провожать нашу труппу на вокзал.

Это было, конечно, очень здорово.

Нашу театральную труппу везде принимали прекрасно.

Никогда не забуду, как нас после гастролей провожали в Перми. Это можно сравнить лишь со встречей челюскинцев в 1934 году. Машины и автобусы, которые везли нас на вокзал, были буквально завалены и забросаны цветами. Нам кричали:

— Приезжайте еще! Мы вас очень любим!

Прощание растрогало нас до слез. Было такое чувство, будто навек расстаешься с родными людьми. Больше такое состояние я не переживал, кажется, никогда.

Горечь расставания с городом усугублялась еще и тем, что здесь мы не только с триумфом играли спектакли, но и раскрутились на полную катушку: розыгрыши, шутки, подставки сыпались, как из мешка разноцветные елочные игрушки.

Как только мы приехали в Пермь, сразу же пошли осматривать город, кто куда. Я с приятелем пошел в зоопарк. Почему зоопарк? А черт его знает! И вот там мы увидели зеленую козу и сразу же сообразили, как нам использовать эту козу в корыстных целях.

Вернувшись в театр, мы стали заключать пари.

— Ты видел зеленую козу? — спрашивали мы очередную жертву.

— Таких не бывает,— безапелляционно заявляла жертва, еще не зная, что она уже обречена.

— Правильно, не бывает,— соглашались мы.— А вот в местном зоопарке есть единственный во всем мире экземпляр зеленой козы. Хочешь держать пари?

Разменной монетой пари служила бутылка. Ну кто же откажется от беспроигрышного пари! Только идиот может поверить в зеленую козу.

Пари заключалось, и обреченный спорщик бежал в зоопарк. А вернувшись, ругался:

— Сволочи, вы проиграли! Это личная коза директора зоопарка. Она ходит на воле. Там покрасили штакетник, она чесалась об него и измазалась.

— Но она зеленая или не зеленая?

— Зеленая, но...

— Мы об этом и спорили. Беги в магазин.

Многие бегали и в зоопарк, и в магазин, и мы оказались владельцами приличного состояния. И могли менять свою продукцию на все, на что хотели: бутылка, она хоть и стеклянная, но поустойчивей доллара будет. В любой стране.

Но непревзойденными мастерами розыгрышей выступали Александр Ширвиндт и Михаил Державин. Они начали работать, как и мы, сразу же.

Еще когда ехали в автобусе от вокзала до гостиницы, они внимательно изучали достопримечательности города. И когда добрались до места, в их светлых головах уже созрел гениальный по простоте план.

И вот они сидят в гримерной. Задумчивые, сосредоточенно о чем-то размышляющие. Тут же гример. Все молчат. Наконец Александр не выдерживает, тяжело вздыхает и с досадой бормочет:

— И почему мы взяли только по одному!.. Да и рубашки надо было брать по три, а не по две...

— Я говорил,— слабо оправдывается Михаил.

— Говорил...

Опять молчат.

— Ладно, Саша,— успокаивает товарища Михаил,— завтра поедем и еще возьмем.

— А вдруг уже не будет? — беспокоится Александр.

— Да нет, ты же видел — там было много.

Гример начинает волноваться.

— Вы о чем, ребята?

— Да ни о чем, просто так.

Но тот уже почувствовал, что это не «просто так», и начинает канючить:

— Ну что, жалко, что ли, сказать? Сами же говорите, что там много.

— Ладно, черт с тобой,— сдается, наконец, Александр и смотрит на друга.— Сказать, что ли?

— Да уж говори,— обреченно соглашается Михаил.— От него ведь не отвяжешься.

— Улица Чкалова, дом 4,— шепотом произносит Александр, оглядываясь на дверь.

— И что там? — гример тоже переходит на шепот.

— А там продают английские замшевые пиджаки по цене двух бутылок и рубашки любых расцветок. Сколько здесь три — в Москве одна стоит. Да и не найдешь таких в Москве.

— А что так дешево? — недоверчиво спрашивает гример.

— Наверняка, контрабанда,— делает предположение Михаил.— Им, видно, нужно быстрее сплавить товар. Только ты — никому!

— Да вы что? Могила!

Гример несколько минут мнется, потом не выдерживает нервного напряжения и осторожно спрашивает:

— Ребята, я вам, наверное, уже не нужен?

— Конечно. Иди отдыхай.

Гример пулей выскакивает из комнаты и вот уже почти вся труппа мчится на такси, на частниках, на попутках на окраину города: на улицу Чкалова, дом 4, дом, который приметил Ширвиндт еще при въезде в Пермь. Приезжают и видят задрипанную керосиновую лавку. Но гример-то понимает, что все это камуфляж, и начинает давить на продавца.

— Чего вы боитесь? Мы московские артисты: сегодня здесь, завтра — там. Никто ничего не узнает. Все будет шито-крыто. А мы у вас весь товар заберем.

— Какой товар? — ничего не может понять продавец.— Вот мой товар — керосин. Хотите — берите, хоть весь! Какие замшевые пиджаки? Вы с ума сошли! Какой дурак будет держать в керосиновой лавке замшевые пиджаки?

Все лезут в лавку, чтобы лично убедиться, что пиджаков, действительно, нет и, в конце концов, убеждаются.

Назад едут все вместе автобусом. Мрачные и с желанием мести. А кто виноват? Гример виноват.

Был у нас в труппе артист Гоша (царство ему небесное!). И вот прибегает он однажды ко мне в номер чуть не со слезами на глазах.

— Левочка! Левочка! Что мне делать? Пришла срочная телеграмма. Вот: «Прилетай зпт Миша проглотил шуруп тчк Целую бабушка». Что делать?..

— А что делать,— говорю,— вылетай! Я за тебя сыграю роль. И ни о чем не беспокойся.

— Спасибо! Ты настоящий друг! — И убегает.

Сажусь, начинаю учить роль — спектакль в тот же вечер. И тут опять прибегает Гоша, но на этот раз радостный.

— Левочка! Пришла еще одна телеграмма. Слушай: «Шуруп вышел зпт можешь не вылетать тчк Целую бабушка».

Веселое время — гастроли! Праздник души и сердца.

Это было, когда мы гастролировали в Узбекистане.. Среди артистов пополз слушок, что Ширвиндта и Державина пригласили выступить на каком-то важном правительственном приеме. Кто, кроме них, еще будет участвовать в концерте — тайна. Наверное, государственная. И об этом опять же знают только Ширвиндт и Державин.

Прошелестел еще один слушок: платить артистам по этическим соображениям не будут. Но зато вручат дорогие — очень дорогие! — подарки. А кому не хочется получить восточный подарок! Наверняка что-нибудь бесценное.

Артист, назову его Сережей, недолго мучился гамлетовскими сомнениями: быть или не быть. Конечно, быть! И он направился к неразлучным друзьям.

— Ребята,— попросил он,— включите меня в свой список. Что вам стоит?

— Сложно,— задумался Ширвиндт.— Ты же сам понимаешь — это на правительственном уровне.

— Да я понимаю... И все же?

— Даже не знаю. Ладно, ничего не обещаю, но я поговорю.

— Я тебя прошу.

— Сделаю все, что могу.

Дня через два-три Ширвиндт подходит к Сереже и ласково улыбается.

— Ну,— говорит,— старик, поздравляю: тебя включили в концерт — будешь ведущим. Но текст придется заучить на узбекском языке. Как, справишься?

— Спрашиваешь!

Дал ему Ширвиндт текст на узбекском языке, написанный русскими буквами, и предупредил:

— Срок тебе — десять дней. Не тяни, сразу же начинай учить.

А жили они в соседних номерах, где все прослушивалось. И, попивая узбекское вино, Саша с Мишей от души веселились, слушая, как за стеной целыми днями Сережа бубнит:

— Дыр-быр-бур... Бур-дур-дыр...

Наконец проходят десять дней и довольный Сереже заходит к соседям.

— Я готов. Когда концерт?

— Какой концерт? — Ширвиндт явно не понимает, о чем идет речь.

— Как «какой»? — Сережа в растерянности.— Концерт, где подарки будут давать.

— Понятия не имею.

— Да ты же мне текст дал — на узбекском языке. Я его выучил наизусть!

— Старик, я же не знаю узбекский. Как я мог тебе дать?

— А сейчас посмотрим...

Сережа выбегает из номера и вскоре возвращается с узбеком.

— Вот,— дает он ему текст и тычет в него пальцем,— прочитай-ка, что здесь написано.

Тот долго рассматривает бумажку и с трудом начинает читать:

— Дыр-быр-бур... Ребята, это какая-то хреновина, извините меня. По-моему, такого языка вообще нет.

И тогда до Сережи доходит.

— Ну, паразиты,— грозит он,— я вам тоже сделаю! — И хлопает дверью.

А что? Пустячок, а приятно.

Да разве же мы задумывались, опуская в трубу кошку: приятно это ей или неприятно? А разве мы жалели влюбленного фраера, который бил со всего маху носком в бетонную стену и корчился от боли?

Мы просто не задумывались над этим. Главное, нам было смешно и весело! И мы никого не хотели обидеть. Да разве ж и можно веселой шуткой обидеть кого-то?

И я снова и снова раздумываю над своим почетным званием Трагический клоун, которое мне льстит. Почему?

Может быть, дорогой моему сердцу читатель и зритель, когда мы вместе с вами закончим эту книгу, то найдем ответ на этот вопрос.

Коля пришел на заседание Академии травильщиков с кулечком в руках.

— Что это? — спросил председатель, ожидая услышать очередную историю.

— Яички,— простодушно ответил Коля и уточнил: — Десять штук.

— Зачем?

— Начинаю новую жизнь.

— Как это? — не понял председатель.

— А очень просто: бросаю пить и перехожу на диетическое питание.

— Да это же здорово! — возбудились академики.— Это же непременно надо отметить! Ведь новая жизнь начинается раз в жизни! И прожить ее надо так, чтобы не было мучительно больно!

— Ребята,— остановил общий порыв Коля.— Я же ясно сказал: начинаю новую жизнь.

— Так и мы об этом! — сказал Борис Годунов в шапке Мономаха и со скипетром в руке.

Предстоял спектакль «Борис Годунов», и все бояре были в гриме и в шубах. И никто не хотел, чтобы такое великое событие не было отмечено достойным образом.

Тогда я предложил компромиссное решение.

— Коля,— сказал я,— не будем гадать, какая жизнь лучше, старая или новая. Клади свой кулечек на стол.

— Зачем? — не понял Коля, нежно прижимая свое диетическое питание к груди.

— Клади, клади. Царь-батюшка ударит по нему скипетром, и, если после этого останется хотя бы одно целое яйцо, я ставлю тебе литр.

Коля был настоящим артистом и азартным человеком и не сразу понял подвох — игра заинтересовала его. Он с готовностью положил свой кулечек на стол, и мы все замерли.

Борис Годунов примерился и жахнул царским скипетром по яйцам так, что даже и хруста никто не услышал — только короткий стук: бам!

Коля бросился к тому, что осталось от кулечка, и стал лихорадочно перебирать то, что превратилось в гоголь-моголь.

— Есть! — выкрикнул он, наконец, с торжеством и поднял над головой целое яйцо.

Пришлось мне бежать за двумя бутылками...

Колю мы посадили на такси далеко за полночь. Его новая жизнь не состоялась.

Если пилот не может не летать, то актер не может не играть. Если его не будет окружать атмосфера игры, он просто задохнется в творческом вакууме. И он, порой даже бессознательно, ищет и находит для себя игровую ситуацию.

И не были ли наши шутки и розыгрыши импровизированными этюдами, в которых каждый из их участников, сам того не сознавая, оттачивал свое мастерство? Наверное, так оно и есть. Иначе зачем бы взрослым людям, многие из которых были весьма именитыми, на полном серьезе вести себя — если смотреть со стороны! — так непозволительно легкомысленно.

Мудрый Эфрос прекрасно понимал нас, поэтому и никогда не смеялся над нашими забавами и не вмешивался в наши игры, Я даже вообразить себе не могу, чтобы он сказал однажды: «Хватит заниматься ерундой! Вы же взрослые люди». Не мог он этого сказать! И даже подумать не мог, потому что был великим режиссером.

Иногда наши шутки были жестокими (как и лефортовские детские игры), но никогда не были злыми. Они могли вызвать сострадание, но никогда не рождали чувство злобы и мести. Смех сквозь слезы...

Не помню, кто из артистов рассказывал, как еще в студийные годы преподаватель крутил им фильм с Чарли Чаплином «Огни большого города». Там Чаплин, маленький, неловкий, растерянный, ведет на ринге бой с профессиональным боксером, чтобы заработать немного денег. И этот профессионал гоняет бедного Чарли из угла в угол, а тот выделывает такие трюки, что зрители покатываются со смеху.

И вот в разгар зрительского веселья преподаватель вдруг останавливает кадр с лицом Чаплина и предлагает внимательно посмотреть на него. И тут все увидели выразительные глаза затравленного зверёныша, в которых отразилась вся глубина его страдания, вся трагедия беспомощности и обреченности.

Фильм продолжили, но никто уже больше не смеялся.

Трагический клоун... Смех сквозь слезы...

Я вообще думаю, что в этом мире порой непостижимым образом уживается трагическое с комическим. И часто трудно, а то и невозможно определить, где кончается шутка и начинается драма человеческая.

Забегая немного вперед, расскажу в этой связи историю моего знакомства с драматургией Бертольта Брехта.

Все началось с того, что в Театр имени Ленинского комсомола был приглашен грузинский режиссер Михаил Туманишвили. Он ставил «Что тот солдат, что этот» Брехта. И мне была поручена главная роль Гели Гея.

Внешне сюжетный рисунок пьесы незатейлив. Простодушный, наивный грузчик Гели Гей отправляется на базар, чтобы купить по просьбе жены маленькую рыбу.

— Думаю, что вернусь через десять минут,— сказал он жене.

И не вернулся вовсе.

Ему повстречались три солдата, которые при попытке ограбить пагоду потеряли четвертого. А без него им никак нельзя вернуться в казарму. Пришлось бы отвечать за ограбление.

И вот солдаты уговаривают Гели Гея надеть мундир и на вечерней поверке выкрикнуть чужое имя. А почему бы и нет?

А потом солдаты втянут его в придуманную ими авантюру — продажу армейского слона. Его арестуют. Будут судить и приговорят к расстрелу. А потом Гели Гей, а теперь уже Джерайя Джип, произнесет надгробную речь над своим же гробом, и родится другой человек — самый жестокий солдат армии.

Человека, не умеющего сказать «нет», можно превратить во что угодно — такова мысль Брехта.

Человек должен уметь говорить «нет»! Кажется, мысль понятна и не вызывает никаких возражений. Но как ее воплотить на сцене, чтобы она обрела многомерность, рельефность, не выглядела банальным нравоучением? Ведь это Брехт. И сама его система «отчуждения», «игры со стороны» была нам очень мало знакома. А стилистика его пьес...

Репетиционный период был мучительным. У меня ничего не клеилось. Я не понимал режиссера, переставал понимать Брехта, начал ненавидеть роль.

Тут, если честно признаться, сказалась наша нередкая актерская ограниченность: если не по-моему — значит, не так. Если непривычно — значит, плохо. А я так не могу. А я так не понимаю.

И если спектакль вышел несовершенным, то в этом есть и моя вина. Ограниченность так же страшна, как равнодушие или цинизм.

Театр уходил в очередной отпуск. Репетиции были прерваны. Туманишвили уехал в отчаянии. У меня настроение было не лучше.

Но время — вещь не только уходящая, но и воздействующая. Прошло лето. Видимо, все же эти дни не прошли для меня даром: мозг бессознательно продолжал поиск того единственного решения, которое могло бы помочь найти выход из тупикового положения в схватке с драматургией Брехта.

Я шел по улице на сбор труппы и, подходя к театру, столкнулся с Туманишвили. Не знаю почему, но мы буквально бросились друг к другу и обнялись.

И с первой же репетиции все пошло! Работала фантазия, мышцы сами легко выполняли сложный физический рисунок.

— Михаил Иванович, а может, здесь так?

— Конечно, Лева, попробуй.

Я что-то показываю ему.

— Ну как?

— А что, хорошо! Закрепи.

Решения сцен приходили легко и свободно.

Гели Гей стоит в окружении трех солдат, решившихся во чтобы то ни стало использовать этого человека, который не способен сказать «нет». Ему-то кажется, что он сам принимает решения: захочет — пойдет с ними, не захочет — останется.

Но вот один солдат толкает его изо всей силы к другому, тот — к третьему. Гели Гей, как мяч, летает по кругу, пытаясь скрыть свою растерянность и жалким подобием улыбки уверяя своих новых приятелей, а прежде всего самого себя, что он не находит в этой игре ничего дурного — почему бы и не подурачиться, не так ли? Шутка!

Они же под видом этой приятельской шутки внушают ему, что с ними шутки плохи. Так возникает символ: здесь человек сам себе не хозяин. Он игрушка в чужих руках.

Но вот, наконец, солдаты прекращают швырять его. Он не успевает еще отдышаться, как двое хватают его под руки, он глупо хихикает — вот ведь шутники! Они рывком отрывают его от земли, ноги его уже болтаются в воздухе, но он делает вид, что идет сам.

Его заключительная реплика «Тут уж я никак не могу сказать «нет», которую он произносит с милой дружеской непринужденностью, приобретает совершенно убийственный смысл.

И так решалась одна сцена за другой. Каскад трюков, импровизаций, бешеный темп.

Но вот однажды я охнул и опустился на сцену: страшная боль в колене подняться мне уже не дала.

В институте Склифосовского заполнили карточку: разрыв сухожилий, мениск, перелом коленной чашечки. Ногу до паха упаковали в гипс.

Через несколько дней я отпросился из больницы домой. Лежал с этой дурацкой гипсовой ногой и плакал от отчаяния.

Пришли навестить друзья. И по секрету сказали, что Туманишвили предложили взять нового исполнителя: премьера под угрозой срыва, ждать нельзя. Да и некоторые коллеги уже предложили свои услуги.

Туманишвили сказал категорически:

— Нет! Хоть год, хоть десять лет! Я буду ждать Дурова.

На следующий день я репетировал в гипсе. Я очень полюбил эту роль. И, как говорят, играл ее неплохо. Спектакль имел успех. О нас писали. Но в душе осталась какая-то вина. Перед кем? Точно не могу сказать.

Да ведь я и вовсе не об этом — не о чувстве вины. Я о шутке. О комическом. О той маске комедии, уголки губ которой беззаботно задраны вверх и в какой-то неуловимый момент скорбно опускаются вниз, и мы уже видим перед собой маску трагедии. В какой момент одна маска превращается в другую, когда происходит эта поразительная метаморфоза, порой даже трудно уловить. Да и нужно ли поверять «алгеброй гармонию»? В таком случае мы рискуем лишиться самой сокровенной тайны — тайны перевоплощения. В более широком смысле — тайны творчества. А без этого всякое творчество теряет свою привлекательность, свое очарование, оно лишается, в конце концов, своего глубинного смысла.

Мне неинтересно знать, из какого сора сделаны стихи. Пусть это останется тайной их творца. Я хочу наслаждаться поэзией, очищенной от всяких примесей. Тайна творчества — велика есть! И пытаться проникнуть в нее — бесплодное занятие.

Можно подумать, что моя мысль снова вышла из предназначенного ей русла. Но на самом деле это совсем не так. Просто само по себе творчество — безбрежно, и размышления о нем так же безграничны, как, скажем, размышления о нашей бренной жизни. Более того, как говорили древние: «Искусство вечно — жизнь коротка».

Рассуждения о комическом и трагическом невольно приводят к понятиям о добре и зле.

Никто не рождается подлецом или героем, добрым или злым. В каждом человеке живет все, но, в конечном счете, торжествует, побеждает что-то одно.

Так и ходят они рядом — Ромео и Тибальд, Отелло и Яго, Клаус и Пастор... Ходят до тех пор, пока Тибальд не убьет Меркуцио; Ромео в порыве мести не выхватит шпагу; пока Яго из-за слепой животной ненависти не заставит Отелло убить Дездемону, а сам не заколет свою жену; пока Штирлиц не выстрелит в Клауса, чтобы спасти многих людей...

И разве не драма для Ромео поразить шпагой человека, стать убийцей?.. А Тибальд? Он что — не мог понять, что кровная вражда это нелепость, великое зло, тупость? Он же мог стать таким, как Меркуцио, Ромео...

И это тоже драма. А Яго? Зачем слепая дикая ненависть, а не доброта и любовь? Он обокрал себя, стал духовно нищим!

Драма!

Но зачем усложнять? Можно ведь просто изобличить или осудить. Можно. Конечно, можно. Но тогда все эти истории останутся фактами газетной хроники, но не предметами художественного исследования. Они так и застынут безликими плоскими снимками, снятыми из дешевого фотоаппарата и отпечатанными на клозетной бумаге.

Я абсолютно уверен, что каждая роль, даже самая «смешная», несет в себе драматическое начало.

Давайте вспомним еще раз самого «смешного» актера — Чарли Чаплина, маленького человека, с детским недоумением смотрящего на мир. Жизнь беспощадно треплет и бьет его, ставит ему подножки и дает пощечины... А он, отряхнувшись, поддернув штаны, крутанув своими квадратными усиками, опять шагает по пыльной дороге, уходящей в никуда. И походка его — что-то среднее между клоунской и балетной...

Хрупкий, тонкий, оптимистичный трагик в самых смешных, даже глупых ситуациях. И вы уже вытираете слезы, вам уже не до смеха...

И вот, рассуждая о комическом и трагическом, о добре и зле, я вольно или невольно встретился нос к носу с маленьким человеком, над нелепыми поступками которого мы всегда смеемся, а над его трагической судьбой рыдаем.

В течение многих лет мне пришлось играть так называемых маленьких людей. С этим определением мы знакомимся еще в школе, когда педагоги рассказывают нам о героях Гоголя или Чехова. И все знают, что Акакий Акакиевич — маленький человек. Или Медведенко в «Чайке»

Но меня почему-то это определение всегда раздражало. В нем слышалось что-то снисходительное и сюсюкающее. По крайне мере, это определение мне казалось именно таким. И мне захотелось его опровергнуть.

Маленький человек... Да не должен быть человек маленьким! Никто и ничто не может сделать человека маленьким, кроме него самого!

Маленький человек — это тот, кто выключил свой мозг, подогнул колени и натянул на лицо маску жалости или всеготовности. Но это он сделал сам, по своей доброй воле! Для меня маленький человек — это несчастье или зло. Потухший и смирившийся человек не может вызвать ни любви, ни уважения. Может быть, только жалость, а это чувство, унижающее человеческое достоинство.

Мне посчастливилось сыграть один из драматичнейших образов Федора Михайловича Достоевского — штабс-капитана Снегирева в пьесе Розова «Брат Алеша» по мотиву романа «Братья Карамазовы». Розов взял из романа тему, которая обычно не входила в инсценировки и экранизации романа. Эта тема вообще близка всему творчеству Розова — во всех своих пьесах он взволнованно говорит о детях, подростках.

В «Брате Алеше» сложно переплетаются судьбы Лизы Хохлаковой, Коли Красоткина, Алексея Карамазова, Илюши Снегирева. Семейство Снегиревых находится на грани полного отчаяния: полная нищета, больные дети, сумасшедшая жена...

Когда-то в Московском Художественном театре Снегирева играл Москвин. Говорят, что играл потрясающе. Играл высшую меру унижения и раздавленности. Конечно, я не собирался вступать в спор с великим Москвиным. Просто я думал иначе, а на это я имею полное право.

Нет, не унижение и раздавленность, а протест против унижения, вызов жизни, которая загоняет тебя в угол, которая держит твое сердце в кулаке и сжимает по своей прихоти.

Смерть отнимает у него самое дорогое — ребенка. Последнюю надежду. Но Снегирев не хочет сдаваться, не хочет смириться, и крик: «Не хочу другого мальчика!» — это не только крик отчаяния, но и вызов Богу: «Если ты позволяешь такое — я против тебя!» И в этом вызове — величие этого маленького человека.

И обратная сторона этой темы: зло.

В многосерийном телевизионном фильме «Семнадцать мгновений весны» мне пришлось играть самого отвратительного человека: провокатора Клауса. Я долго думал, как эту небольшую роль, даже эпизод, сделать неплоским, неоднозначным. И нашел, ухватившись за одну реплику. В сценарии Штирлиц обращается к Клаусу с вопросом:

— А вы не пробовали писать?

И тот отвечает:

— Нет.

Вот за это «нет» я и ухватился. Я отвечал через паузу, неуверенно. Конечно же, он пробовал писать, мечтал стать писателем, и наверняка хорошим писателем.

Но не получилось. Скорее всего, просто не хватило таланта. Не всем же дано стать писателем! И вот тогда свою несостоятельность Клаус превращает в болезненное непризнание: «Ах вот как! Значит, я не талант?! Вы меня не признаете? Тогда я буду мстить. И буду мстить жестоко».

И он становится творцом провокации, ее поэтом. Поэтом самого низменного, что может быть. Почему бы не найти другого места в жизни, почему бы не найти в другом месте счастья? «Нет, не хочу!» И маленький человек становится большим злом. И кроме страшного зла, он ничего не может принести людям.

Написал я это и вспомнил, что где-то у Горького в воспоминаниях о Чехове что-то уже было написано по этому поводу. Ага, нашел!

«А собственно говоря, и подлецы — тоже несчастные люди,— чорт их возьми!»

Кто это сказал? Провинциальный учитель, который только что жаловался Антону Павловичу на «грозную правду той жизни, которой живет русская деревня».

Так ведь и я о том же! Конечно, несчастные!

Листаю дальше. Вот она, известная статья Горького «О «маленьких» людях и о великой их работе»:

«Нас моралисты убеждают только в том, что, если человеку изо дня в день твердить, что он плох,— это не делает его лучше, чем он есть.

Людей учили: вы — негодяи, вы — дрянь; старайтесь быть лучше... Было практически выгодно вещать людям, что они — негодяи. Ведь если это так — значит они сами и виноваты в том, что их жизнь так тяжела, так отвратительна. «Маленьких» людей пытались убедить, что они ничтожны, бездарны, глупы и что все «хорошее», созданное на земле, создается не ими, а силой «великих».

Очевидно, что здесь Алексей Максимыч перемудрил сам себя, когда стал говорить не языком писателя-человековеда, а плакатными фразами адвоката Октябрьского переворота. Подсюсюкнул миллионам «маленьких» людей.

А где же грань между «маленьким» человеком и «великим»? И как это «маленький капрал» Бонапарт превратился в императора Наполеона I, или унтер Шикльгрубер — в фюрера нации Гитлера, или недоучившийся семинарист Джугашвили — в «отца всех народов» Сталина? Это ведь их убеждали, что они «ничтожны, бездарны, глупы». Не сумели убедить, что ли?

А как быть с «великим» королем Лиром, который вдруг оказался ничтожнее своего шута?

А что делать с Сальери, который оказался, по расхожей легенде, и «негодяем», и «дрянью», то есть «маленьким» завистливым человечком? Это о Сальери? Об учителе Л. Бетховена, Ф. Шуберта, Ф. Листа? Да полноте, Алексей Максимыч!

«Гений и злодейство две вещи несовместные. Неправда...» — это сказал Сальери.

Видно, действительно каждому человеку сполна отпущено и достоинств, и недостатков, но, в конечном счете, побеждает какая-то одна характерная наклонность. Собственно, эту мысль еще сто лет назад выразил Лев Толстой в своем замысле написать о человеке, который в одно и то же время добр и зол, щедр и жаден, любвеобилен и жесток и т. д. и т. п. Не написал.

Времени не хватило? Возможно. А может быть, по здравому размышлению, отложил свой замысел подальше в стол и хитро усмехнулся в свою седую бороду. Не будем гадать, почему замысел оказался нереализованным. Великому писателю земли русской лучше было знать, о чем писать, а о чем промолчать. Чтобы не тешить лукавого. Не стану тешить его и я: вмешиваться в Божьи дела — себе дороже. А уж Господь знал, что делал, когда создавал человека: он его уподобил себе, то есть — Космосу. А он безмерен и бесконечен и во времени и в пространстве.

«Эва! — скажет читатель.— Куда хватил: с Львом Толстым себя уже на одну доску поставил». А почему бы и нет? Только не я себя поставил — меня поставили. Могу рассказать, как это случилось. Правда, придется начать издалека. Но ведь нам все равно некуда торопиться, не так ли?

Это произошло накануне очередных майских праздников. Мне позвонили из Президиума Верховного Совета и сказали, что меня наградили орденом Трудового Красного Знамени. А когда мне что-то преподносят, я тонко, как большой интеллигент, шучу. И я говорю:

— Наконец-то вы созрели в Верховном Совете! А я-то уже давно был готов к этому! Во всех пиджаках дырок наковырял! А вы все там никак не мычите не телитесь.

Так тонко, интеллигентно шучу.

На другом конце провода похихикали над моей шуткой и говорят:

— В среду к десяти утра просим прибыть. И, будьте добры, без опозданий.

Я, конечно, как дурак, с утра шею вымыл, галстук нацепил и к десяти утра подъезжаю к этому мраморному зданию. Там часовые.

— Здрасьте, Дуров, вы чего?

Стало быть, узнали.

— Здрасьте,— говорю.— Мне тут позвонили...— И объясняю, что к чему.

А они говорят:

— Сегодня не наградной день.

— Как не наградной? Мне сказали, к десяти утра!

Тут они тоже занервничали, как и я.

— Сейчас,— говорят,— мы позвоним, куда надо, и все выясним.

Они ушли куда-то, приходят и говорят:

— Мы позвонили в секретариат. Вы знаете, ни в одном наградном листе вашей фамилии нет.

Я спускаюсь по ступенькам, выхожу на улицу, гляжу — машина. А облокотясь на нее, стоит довольный Юра Никулин и говорит:

— Приехал все-таки, дурачок!

И я, невзирая на флаг на здании, на мрамор, сказал все, что о нем думаю. Все слова-то лефортовские, еще не забыл.

— Кто звонил? — спрашиваю.

— Я,— говорит.— Кто же еще?

— Не стыдно?

— А тебе? — спрашивает.— Поверил, как маленький. Ну здравствуй, мальчик.

И мы обнялись.

Ладно, думаю, больше я на такой крючок не попадусь. Проходит несколько дней, раздается звонок.

— Дуров? — спрашивают.

— Дуров,— говорю,— Дуров. Что надо?

Мужик объясняет:

— Это звонят из «Совинфильма». С вами хочет встретиться Питер Устинов. Не могли бы вы...

И я перебиваю:

— У меня к вам предложение, «Совинфильм».

— Да? — заинтересовался дядька.— Какое же?

— Не пойти ли вам вместе с Питером Устиновым!..— И уточняю куда.

А дядька не отступает и все настаивает. Я, значит, адресую еще длиннее. Слышу, он кому-то там говорит:

— Он посылает... Поговори ты с ним.

Трубку берет женщина. Ну я, конечно, опомнился.

— Простите,— говорю,— пожалуйста, я думал, это Ширвиндт или Никулин.

Она там упала сразу — она все вычислила — и говорит:

— На самом деле вас хочет видеть Питер Устинов.

И я поехал на эту встречу, ничего не понимая, зачем и что. Хотя... Драматург Питер интересный, актер замечательный, и дядька, как мне было известно, хороший.

Значит, приезжаю. А этот Питер такой огромный, как баобаб, здоровый и бородища на всю грудь. Он увидел меня и как заревет:

— Ле-е-ев!!!

И весь «Совинфильм» вздрогнул: мол, чего притворялся, что не знаком.

Тогда и я заорал:

— Пи-и-итер!!!

К его пупку ухом прижался, орем! Все обалдели, думают — озверели совсем. Думают, откуда у Дурова такие связи с Англией? Кто-то смутился...

Ну, сели, чуть-чуть дали, и я спрашиваю:

— Чего тебе нужно, Питер?

По-простому его спрашиваю.

— Видишь ли, канадская телекомпания будет снимать по моей книжке многосерийную картину.

У него тогда вышла книжка «Моя Россия».

— Слышал,— говорю,— о книжке, но не читал.

— Подарю.

И тогда я спрашиваю:

— А я при чем?

— Я,— говорит,— буду играть самого себя, Питера Устинова. А ты будешь Львом Толстым.

— Ты что, обалдел? — спрашиваю.— Какой из меня Лев Толстой? Погляди на меня получше.

— Нагляделся,— говорит.— Ты вылитый Толстой. Давай гримироваться.

Я и опомниться не успел, как гример уже взял меня в оборот. Мудрил он надо мной, мудрил, а когда закончил... нас всех разбил паралич! Меня первого. Поглядел я в зеркало: один к одному!

А гример спокойно так:

— Думаю, больше ничего не надо делать.

Я говорю:

— Братцы! Да что ж это такое? Я ведь хотел отмотаться! Куда же теперь?

И они провели опыт. Сфотографировали меня, и гример ходил с двумя фотографиями: моей и Толстого и всех спрашивал:

— На одной фотографии не Толстой. Где не Толстой?

И все тыкали пальцем в фотографию Толстого.. Хотя бы кто-нибудь тыкнул в меня! Оказалось, я чуть-чуть «толстее» Толстого.

Ну, деваться было некуда, и повезли меня сниматься в Ясную Поляну. И по дороге произошла история, о которой я и хотел рассказать.

Я, конечно, при бороде. И Питер со мной. А ехали мы на «чайке», списанной машине начальства. На той самой, которую у нас прозвали «членовоз». А выехали мы ра-а-но! И тут посреди дороги жутко жрать захотелось. Смотрю — слева сельмаг, справа — пост ГАИ. Я и говорю водителю:

— Притормози.

Он притормозил, а на посту — милиционер. Он как увидел... Конечно, подумал, что какую-то правительственную машину пропускает, а его не предупредили. И он ссыпается по лесенке и несется к нам. А я забыл, что я — Лев Николаевич-то... Открываю дверцу и вылезаю.

Господи, что тут с бедным милиционером сделалось! У него лицо судорогой свело, вот клянусь! И слова не может сказать, только:

— Ва!.. Э!.. — И отмахивается, как от пчел.

А я решил подыграть и говорю:

— Подожди, милейший, граф есть хочет. В сельмаге есть что-нибудь?

Он трясется, как осиновый лист, и ртом воздух хватает.

— Нет!.. То есть, да!

И как дунул через дорогу! Питер трясется от смеха, а я ему говорю:

— Ты молчи! Ты мой слуга из Англии.

А в сельмаге действительно и «нет» и «да»: одни сушки. И на том спасибо, моему «слуге» понравились. Потом мне рассказывали, что, когда Питер улетал в Англию, он увез с собой целый чемодан этих сушек.

Между прочим, министерству внешней торговли следовало бы задуматься над этим фактом. Не умеем мы торговать!

В общем, приехали мы в Ясную Поляну и все, что нужно было, отсняли...

Там был один замечательный момент. Посадили меня за стол Толстого и вдруг операторы-канадцы расхохотались, глядя куда-то поверх моей головы. Я поворачиваюсь: за моей спиной фотография Толстого за этим же столом, и он тоже делает вид, что работает, как и я.

И вот отсняли мы все и возвращаемся в Москву. Глядим — на том самом посту пять милиционеров стоят.

— Питер,— говорю,— это нас ждут.

Притормаживаем, я вылезаю из машины, и гаишники начинают хохотать.

— Дуров,— говорят,— твой на бюллетене!

— Кто это? — спрашиваю.

— Утренний. Он пришел к начальству и говорит: «С ума сошли! Толстой без охраны едет! А вы — ничего! Не приняли никаких мер!» Начальник спрашивает: «Вася, какой Толстой?» А он: «Писатель! Знать надо!» Начальник говорит: «Спокойно, Вася, сними портупею, сдай оружие...» Разоружили его на всякий случай, позвонили домой и сказали: «Клава, твой — плохой, едет домой, вызывай врача». Выяснилось, что у него был нервный шок. Дали бюллетень на десять дней.

Но оказалось, что это еще не конец истории. Когда Питер Устинов был уже в Англии, в журнале «Иностранная литература» вышел его рассказ «Лев Толстой и милиционер». Рублей семь, наверное, получил за него.

А после того, как у них там, в Англии, показали по телевидению сериал, мне прислали оттуда газету с рецензией. Серия, где я снимался в Ясной Поляне (она называлась «Бородино»), была признана лучшей. Пустячок, а приятно. А что? Не было бы Васи и сельмага с сушками на тульской земле, я, может, и не вошел бы так органично в образ великого писателя.

Это, конечно, шутка. Но, если серьезно, то мне в самом деле грешно обижаться на недостаток внимания к моей персоне.

Вот стою я как-то в очереди за молоком. За женщиной. Она так странно помялась, помялась, не выдержала и обернулась.

— Как?! — удивляется.— И вы? Вот так стоите в общей очереди?

— Да нет,— говорю.— Знаете, у нас есть свой магазин, актерский, но он — в Спасской башне Кремля. Сейчас там ремонт затеяли, так что пришлось сюда...

Она сразу успокоилась. И я доволен — утешил человека.

Все думают: «Раз постоянно торчит в телевизоре, значит —привилегированный. Не может же быть такого: его миллионы видели, а он в той же очереди стоит!»

Смешное и наивное заблуждение! Ведь никакой ценовой разницы между профессиями нет. Просто мы всегда на виду. А в остальном, скажем, чем я отличаюсь от сталевара? Разве только тем, что у них тяжелее. Хотя, по английской шкале затрат энергии актеры стоят на пятом месте: на первом — шахтеры, на третьем — летчики-испытатели, потом — врачи-гинекологи, а уж за ними — мы. Поэтому и сгораем так быстро. Но если ты не кладешь жизнь на эти доски, то зачем выходить?

А если бы кто-нибудь из социологов подсчитал, сколько времени у нас уходит на ненужные бестолковые дела. Вместо того, чтобы думать о роли, я должен бегать за продуктами, добывать в каком-нибудь ЖЭКе никому не нужные справки.

Не уверен, чтобы Дастин Хоффман убивал много времени на это. Может быть, он и актер такой, что занимается только своей работой? Роберт Редфорд каждое утро садится на лошадь, чтобы быть в форме, а я — в машину, чтобы добывать пищу.

Нет, ни зеленая, ни черная зависть меня не гложут. Ведь у нас как было? Уехал за границу — предатель. Остался в своей стране — идиот. Да человек сам вправе решать свою судьбу! Весь мир переезжает с места на место и нельзя людей судить за это. А мы все меряем своими идиотскими социалистическими мерками: предатель — не предатель. Уехал человек — ради Бога, вернуться захочет — его право.

А это наше воспитание под толпу... Почему нас узнают за границей, даже если мы одеты в шикарные куртки и джинсы и не ругаемся матом? Да по одинаково озабоченным лицам, по глазам.

А я вот не хочу никуда уезжать! Что я теперь — идиот? За свою жизнь побывал во многих странах: Марокко, Мексика, Германия, Англия... Очень вписался в Нью-Йорк. Всю жизнь мечтал побывать в Америке. Про Италию как-то знаешь по искусству, Испанию — более менее, Францию совсем хорошо. Америка же — другой мир.

И вот наконец попал туда. Сразу гулять пошел. Друзья кричат:

— Куда тебя понесло? Ночью!

А я весь Бродвей пешком прошел. Мне было очень легко в этом городе, хотя по-английски с детства ни слова не знаю. Даже по Гарлему ходил. Ну, опасно. Идет навстречу такой двухметровый человек. Черный, как мрачная ночь. На лице написано желание гадость сказать. А я сразу начинаю ртом воздух хватать и запрокидываюсь, как припадочный. Пару раз так запрокинулся — больше никто не приставал.

А еще витрины роскошные. И замечательно стоять на 350-метровой высоте и смотреть вокруг. Рядом стоит Джигарханян, спиной ко мне, и, глядя на Манхэттен, говорит:

— Лева, Лева... И все это мы с тобой должны были догнать и перегнать?..

А хотел бы я там жить? Нет, не мой город. Мой город — Москва. То ли корни тянут, то ли могилы за спиной, не знаю. Хотя наша жизнь сейчас к особому веселью и не располагает. Все вокруг или озабочены, или раздражены. Я сам себя ловлю на том, что все время пою. Хожу и пою, сижу в машине и пою, за кулисами — пою. Это своего рода защита. Потому что если не петь, то остается только выть! Уж лучше петь.

Я больше не хожу на митинги, не хочу орать, не хочу стоять в толпе. У меня есть свой взгляд на положение в стране. Надо идти работать. Каждый должен делать свое дело, насколько хватает таланта и сил. Тогда все будет: и польза, и преданность Отечеству. Хочу поставить хороший спектакль!

У нас сейчас многие хотят заняться бизнесом. Одним это удается, другим везет меньше. У меня нет никакого желания, да, видно, и способностей, заниматься этим родом деятельности. Наверное, это плохо, ведь мог бы с этого что-то иметь. Но вот смотрю я на лица артистов, которые потянулись в бизнес... Не те стали лица, не актерские, а как у людей на бирже: жесткие и немного бегающие от напряжения глаза: «Как бы не проиграться!» Да простят они мне это, но они уже смотрят не в душу, а на биржевой щит. Происходит страшное перерождение человека.

Я уже говорил, что много лет проработал с Анатолием Васильевичем Эфросом. А если кто когда-либо делал что-то с большим Мастером, то память об этом остается на всю жизнь. У каждого Мастера свое лицо, своя школа, и ты, естественно, становишься ее приверженцем. Хотя, справедливости ради, и должен сказать: Эфрос частенько нас поругивал, что мы не принимаем ничего другого, варимся в собственном соку.

А что касается кинорежиссеров... Вообще говоря, у кого бы я хотел сниматься, те меня не берут. Вот, например, у Иоселиани. Но он, видно, не знает о моем существовании. Феллини тоже как-то не вспомнил обо мне. Хотел бы работать с Тарковским, но он ушел. У нас были хорошие отношения. Он говорил, что я ему нравлюсь как артист, но совместной работы в кино так и не случилось. Только на радио. Наверное, я не вписывался в его актерский расклад. Говорю об этом без обиды — такова уж наша судьба.

Да и что-то мы оскудели добротными сценариями. Вот недавно прочитал один такой опус и жду, когда мне позвонят. Тут-то я и скажу: «Вам не стыдно предлагать такое?» Хотя к сценарию приложена записочка: оплата по договоренности, а это значит — большие деньги. Я живу небогато, машина, которую купил уже на старости лет, собралась разваливаться. Но нельзя же за деньги заниматься пошлостью!

Но, с другой стороны, ведь и шедевры рождаются не каждый день.

Как-то один известный актер сказал, что он не стал бы таким популярным, если бы не снимался в фильмах. Конечно, популярность в основном приносит кино. Такую — дамско-девичью популярность. А серьезное признание — театральное. Но это я, как обычно, шучу...

Тот же Янковский стал известен после больших ролей в кино. Чтобы получить серьезную кинопопулярность, надо сняться в этапной картине. Что такое этапная? Та, которая ломает прежние каноны. Я не очень люблю все наше ретро. Ведь, по сути, это перенесенный на пленку театр, оперетка.

Феллини же, Иоселиани, Тарковский творили кино как искусство со своим своеобразным языком. И прекрасные картины шли при полупустом зале: люди рвутся к тому стереотипу, который им привычен.

Сейчас многие популярные актеры снимаются в рекламе. Вспомним, как все возмущались, когда впервые увидели на телеэкранах популярного и любимого актера, который рекламировал что-то из ширпотреба: «Ах, как он мог! Как он опустился!»

А я считаю так: кто хочет, пусть снимается. Это его добрая воля и его профессия: *играть!* А что плохого-то? За что осуждать русского актера, когда он сегодня попал в положение своих коллег из пьес Островского, которые в поисках заработка бредут из Вологды в Керчь, а из Керчи — в Вологду?!

Не хочу сказать, что я лучше или хуже других, но не представляю себе, как бы я занимался коммерцией. Я бы тогда ушел из театра, я бы не смог совмещать одно с другим. Я уже говорил: кто занимается коммерцией — вне актерской профессии. Они думают не о творчестве, у них счетчик работает. В глазах: динь-динь-динь, как в калькуляторах, циферки мелькают. Все — это уже не актер. Тогда уйди и занимайся своим делом. Там преуспевай, там зарабатывай хорошие деньги.

Вы меня никогда не увидите ни на одной так называемой тусовке. Я не хочу светиться на экране с бокалом шампанского в руке и с бутербродом с икрой, если кругом люди живут плохо. Не могу. Совесть не позволяет. Может, синдром войны?..

А театр... Что ж театр? Он и не такое переживал. Сколько уж раз предрекали ему кончину: и с рождением кинематографа, и с изобретением телевидения и «видиков». А он хоть бы хны!

Еще Михаил Ромм, один из самых видающихся кинорежиссеров, пророчил смерть театру. А после его заявления,— а было это, если не ошибаюсь, в конце пятидесятых годов — начался театральный бум, и в театры было невозможно попасть. Ведь живое общение актера с залом, зала с актером не заменит ни кино, ни видео.

А будет обязательно ренессанс, возрождение театра, театральный бум будет — вот посмотрите! Это волны: прилив-отлив... Это не зависит от коммерческой ситуации в стране, от экономической, от социологической и черт знает от какой еще! Театр вечен! Его нельзя упразднить, как, скажем, нельзя упразднить архитектуру: тогда людям просто негде будет жить. Кто-то из наших известных режиссеров сказал:

— Вы дайте моему зрителю хорошую колбасу, и тогда я поставлю замечательный спектакль.

Глупость. Чушь! В периоды голода, разрухи, крушения надежд создавались величайшие произведения. Сытый желудок высоты искусства не определяет. Это мое глубокое убеждение.

Наш двор до войны.
На брусчатке сидят: крайняя слева — мама Валентина Игнатьевна,
в широкополой шляпе — папа Константин Владимирович.

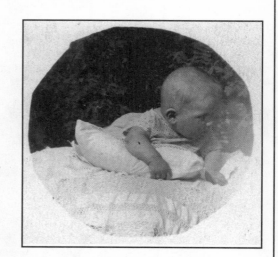

Мне пять месяцев.
И я уже играл.

Л. К. Дуров. «Грешные записки»

Друганы

В роли Трубача. Моя дипломная работа в Школе-студии МХАТ. Спектакль «Егор Булычов и другие» М. Горького.

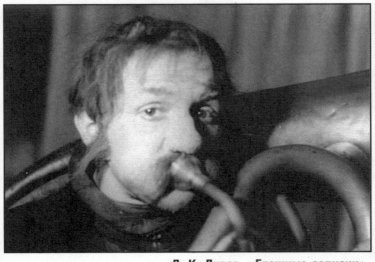

Л. К. Дуров. «Грешные записки»

Мне двадцать лет и я чувствую себя Аполлоном.

Л. К. Дуров. «Грешные записки»

На мне фуражка Николая II.
Школа-студия МХАТ, II курс.

Школа-студия МХАТ, 1953 г.

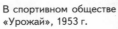

В спортивном обществе
«Урожай», 1953 г.

Л. К. Дуров. «Грешные записки»

Мы с маленькой Катенькой.

Узнаваемые лица. После спектакля в ЦДТ «В добрый час» В. Розова.

Л. К. Дуров. «Грешные записки»

У родного театра.

Л. К. Дуров. «Грешные записки»

А. Збруев, Л. Каневский и я.

Спектакль «Что тот солдат, что этот» Б. Брехта.
Уриа — А. Ширвиндт, Гели Гей — Л. Дуров, Сержант — Л. Каневский.

Л. К. Дуров. «Грешные записки»

А. Арбузов, А. Эфрос и я.

Л. К. Дуров. «Грешные записки»

С В. Шукшиным в к/ф «Калина красная».

Л. К. Дуров. «Грешные записки»

В роли Робинзона.
Телеспектакль
«Бесприданница»
А. Н. Островского.

В роли Сганареля.
Спектакль «Дон-Жуан»
У. Шекспира.

Л. К. Дуров. «Грешные записки»

В Нью-Йорке.

С Ириной Кириченко (женой) и нашим другом Л. Круглым в Париже.

Л. К. Дуров. «Грешные записки»

В роли Жевакина. Спектакль «Женитьба» Н. В. Гоголя.

Л. К. Дуров. «Грешные записки»

В роли Тибальда.
Спектакль «Ромео и
Джульетта» У. Шекспира.

А. Хочинский, Е. Лебедев,
А. Калягин и я
в к\ф «Заячий заповедник».

Л. К. Дуров. «Грешные записки»

В роли Сганареля.
Спектакль «Дон-Жуан»

Кадр из к\ф «Христос приземлился в Гродно».

Л. К. Дуров. «Грешные записки»

С режиссером Ларисой Шепитько
на съемках к\ф «Прощание с Матерой».

Л. К. Дуров. «Грешные записки»

В роли Чебутыкина.
Спектакль «Три сестры» А. П. Чехова.

Л. К. Дуров. «Грешные записки»

В роли Ноздрева.
Спектакль «Мертвые души» по Н. В. Гоголю.

Воспоминание о юности.

Л. К. Дуров. «Грешные записки»

С Ириной Алферовой

С Барбарой Брыльской

Л. К. Дуров. «Грешные записки»

С Ириной Кириченко в к\ф «Сузи, любимая Сузи», ДЕФА.

Полад Бюль-бюль оглы
Мухтарбек Кантемиров
и я в к\ф
«Не бойся, я с тобой».

Л. К. Дуров. «Грешные записки»

С М. Боярским в к\ф «Д'Артаньян и три мушкетера».

Л. К. Дуров. «Грешные записки»

В роли Вилли Кларка.
Спектакль «Весельчаки»
Н. Саймона.

В роли Яго.
Спектакль «Отелло» У. Шекспира.

Л. К. Дуров. «Грешные записки»

«Пить или не пить?»
Друзья операторы В. Федосов и А. Заболоцкий.

Л. К. Дуров. «Грешные записки»

С Юрием Никулиным.

С писателем Виктором Астафьевым.

Л. К. Дуров. «Грешные записки»

В роли Льва Толстого. В спектакле «Миссис Лев» Коковкина.

Однокашники. В к\ф «Сирота Казанская».

Л. К. Дуров. «Грешные записки»

Спектакль «Дон-Кихот» по М. Сервантесу.
Дон-Кихот — А. Филозов, Санчо Панса — я.

Л. К. Дуров. «Грешные записки»

Что наша жизнь?..

С Гришей Лямпе.

Л. К. Дуров. «Грешные записки»

«Снимите меня!..» — «Снимаем...»

«Куда меня занесло?»
В США.

Л. К. Дуров. «Грешные записки»

Вечная борьба поколений.

С М. Евдокимовым
в к\ф «Не послать ли нам гонца».

Л. К. Дуров. «Грешные записки»

А. Джигарханян, я и И. Смоктуновский.

Сладкая парочка

Л. К. Дуров. «Грешные записки»

«Хлеба горбушку, и ту пополам!»
С котом Мишей.

Л. К. Дуров. «Грешные записки»

На репетиции...

и дома.

Л. К. Дуров. «Грешные записки»

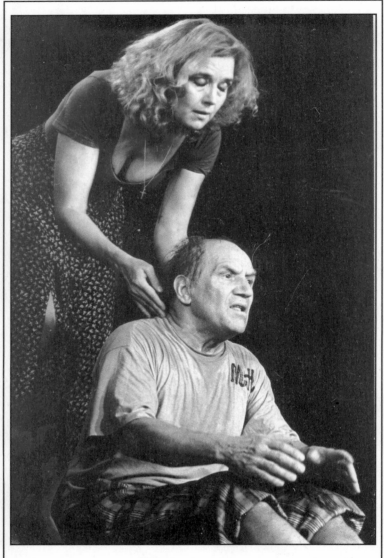

Театр продолжается...

Л. К. Дуров. «Грешные записки»

Но вот в чем парадокс: кинематограф, который своим появлением предрекал гибель театру, сам оказался на грани краха. Нет, я далек от мысли, что ему приходит конец! Но посмотрите, что творится сейчас. Это дурацкое американское, аргентинское, мексиканское кино заполонило все экраны (я не говорю о редких исключениях, которые только подтверждают правило). Я, например, не могу смотреть всю эту чушь. Бездарные актеры, сценарии, рассчитанные на умственно отсталых, нелепые ситуации. А сколько жестокости и порнографии!

Смотрю на афиши кинотеатров и читаю: «Секс на крыше», «Секс на водосточной трубе», «Секс в шкафу»... В Штатах на таком фильме вы будете сидеть один в пустом зале или в компании старенького негра, который глядит на все это, как на ретро. Подобное «искусство» вне культурных традиций России, и непонятно, почему вдруг у нас им заразились.

И ведь люди с удовольствием смотрят про то, как «Богатые тоже плачут». И не полезешь со своими советами, не станешь оскорблять чувства людей. Ведь не скажешь:

— Люди, да зачем вам эта чуховина, этот кич? Ведь он никакого отношения ни к жизни, ни к искусству не имеет — ахинея сплошная!

Не хочется в таком тоне разговаривать. Да мне и не поверят.

— Как! — скажут.— Мы каждую серию ждем с сердечным трепетом, а тут Дуров заявляет, что картина ужасная! Это замечательный фильм! А вот ты сам играешь в ужасных фильмах!

И — точка.

Я, конечно, найду, что возразить. Но сейчас я не об этом. Я — о вседозволенности, которая сродни распущенности: нравственной, моральной, этической, просто гражданской.

Тут я в какой-то газетенке — «Русский вестник» или «Российский вестник» — прочел стихотворение о том, как должна пробудиться Россия, как она должна возродиться. Там есть такие строки (цитирую на память): «И пусть к ногам твоим приползут литовец, жид, чечен...»

Почему к ногам России обязаны приползти другие народы? Что, у литовцев, евреев, чеченцев нет своей национальной гордости? Я как русский человек начинаю дико протестовать! Мне не нужно, чтобы инородцы валялись у меня в ногах только потому, что я русский! Какая же это гордость страны, какая же тогда эта Россия?! Монстр!.. Это все равно, как если бы я с топором стоял и заставлял кого-то целовать мне сапоги, приговаривая: «Не будешь — раскрою череп!»

И ведь тех, кто распространяет эту газетенку, не отдают под суд! В Америке вся редакция давно бы уже за решеткой сидела. Или ее задавили бы такими штрафами, что они не расплатились бы за всю свою жизнь — платили бы и литовцам, и евреям, и чеченцам. А у нас все безнаказанно! Черт его знает, бред какой-то!

Вот так своеобразно у нас понимают свободу слова. Как будто нет ни конституции, ни законов против расизма, ни гарантов, защищающих их.

Вообще со свободой следует обращаться очень осторожно — это чрезвычайно тонкий и хрупкий инструмент. Его нужно осторожно ощупывать пальчиками, а не бить по нему кувалдой.

Меня часто спрашивают, не испытываю ли я некую ностальгию по временам молодости, когда не было «рыночных» отношений между людьми и, как говорил чеховский свадебный генерал Ревунов-Караулов, «все было проще, и люди были проще». И я всегда отвечаю: нет, не испытываю никакой ностальгии, никакой тоски. Те времена были ложными, и все было построено на страхе.

Я никогда не был членом какой-либо партии. Но с той, которая представляла «ум, честь и совесть нашей эпохи», дело имел.

Снимаем мы фильм «Семнадцать мгновений весны». Нужно выезжать на съемки за рубеж. А для этого необходимо (почему «необходимо» — нормальному человеку не понять) пройти некую выездную комиссию. Захожу. Меня спрашивают:

— Опишите, пожалуйста, как выглядит советский флаг.

Я подумал, что они шутят: ведь нельзя же задавать такие идиотские вопросы!

— На черном фоне,— говорю,— белый череп с костями. Называется Веселый Роджер.

Мне задают второй вопрос:

— Назовите союзные республики.

Это она меня спрашивает, актера, который с труппой объездил весь великий и могучий Союз.

— Пожалуйста,— говорю и начинаю перечислять: — Малаховка, Чертаново, Магнитогорск...

Как Швейк на медицинской комиссии, которая признала его идиотом. Видно, все-таки не зря меня когда-то звали Швейком.

— Спасибо,— говорят.— И последний вопрос: назовите членов Политбюро.

7*

— А почему я их должен знать? — удивляюсь.— Это ваше начальство. А я ведь не член партии.

— Вы свободны,— сказали мне, и я пошел.

Только перешагнул порог киностудии, как на меня набросились:

— Что ты там нагородил?! Ты знаешь, что тебя запретили выпускать за рубеж? Уже позвонили — злые, как собаки!

— Ребята,— говорю,— в чем дело? Пусть меня убьют под Москвой.

Так они и сделали: убили меня в Подмосковье. Штирлиц-Тихонов выстрелил в меня, и я упал в родной, не в фашистский пруд.

А потом так и пошло. Когда участников фильма награждали, меня вычеркнули из списка. И еще чем-то обласкали всех, а я так в черном списке и остался.

А «народного» мне дали, видно, потому, что кто-то, где-то, что-то проморгал. Может, потом за эту промашку и по шее получил.

Когда мы работали тогда, то нас заставляли к каким-то датам ставить спектакли, а под них разрешалось поставить одну классическую пьесу. Всем было известно, что будет ставить Эфрос. Он моментально, судорожно настраивался на определенную волну и искал одну-единственную пьесу, которую ему разрешат. А когда случилось: ставь, что хочешь, то оказалось много труднее. Да, свобода более тяжела. Она таит в себе определенные опасности. Личные, не какие-нибудь общественные; нет, хотя, возможно, и общественные. Она... Нет, она таит и общественные тоже, потому что многие понимают свободу как вольницу — и свою, и общественную.

Я по природе своей анархист. Никогда никому не поклонялся, не радовался никаким орденам и званиям. Это все нормально, как полагается, но чтоб я к этому стремился? Нет, это каждый скажет, что нет, не так. Для меня это никогда не было целью. Я считаю, личная свобода важнее всего. Поэтому, наверное, и не любил школу. Мне казалось, она подавляет и в чем-то унижает. Сейчас наоборот: учителя не знают, что делать, а ученики знают.

Я старался охраняться лично. Как я думаю, так и живу. Я определенным образом воспитан. Я никогда не преступал закон не потому, что такой законопослушный — просто это было противно моей морали. И когда я слышу рассуждения в передачах о страшных убийствах, когда об этом так запросто рассказывают... Это не может уложиться ни в моей голове, ни в моем сердце. Ну никак! Я не понимаю, я начинаю ругаться и думать, что человечество куда-то заходит слишком далеко. И не говорите, что это отдельный человек так поступает. Из кого же состоит человечество? И откуда такая агрессия, разрушительство? Зачем крушить телефонные будки, стеклянные остановки? Ты же в этом городе живешь! Зачем превращаешь его в свалку и помойку, на которой торжествует агрессия, а человеку страшно выйти на улицу? Что-то в людях живет и другое, помимо добра...

Что тут надо делать? Ну причем здесь театр? Он на другое нацелен. Это вещь эмоциональная. Сюда люди приходят доплакать то, что они не доплакали в своей жизни. Почему люди плачут в театре с удовольствием или смеются не менее охотно? Да они в жизни не успевают это сделать! За тяжелой, замотанной этой

жизнью не успевают выплеснуть свои эмоции: ни те ни
другие. Хотя слезы, может быть, успевают. Но они не
успевают посочувствовать, сопережить чьей-то судьбе.
Просто времени нет. А в театре они как-то получают
ту самую возможность сопережить и получить от этого
удовольствие. Меня никогда не касается ничья личная
жизнь. Не люблю на эту тему говорить, давать интервью. Мне говорят: «Как, ты не знаешь, эта с этим, а
он вон той муж?» Нет, не знаю. Меня это не волнует.
Но когда со сцены идет пропаганда того, чего я не
приемлю, то не принимаю это воинственно. Может, это
и неправильно: вещи, которые для многих кажутся
нормой, для меня аморальны. Я не понимаю: возможно, это некая российская консервативность, несмотря
на ее кровавую историю. Консервативность, связанная
со страданиями. С традициями семейных отношений,
например. Сексуальная жизнь здесь всегда была
скрыта. Это считалось тайной. И до сих пор я пола-
гаю, что на самом деле так: это тайна. И это не должно быть прилюдно. Мы не должны выворачиваться
наизнанку.

Я не могу смотреть, даже из познавательных соображений, порнофильмы. Я сразу думаю: «О Господи,
мы высокие чувства превращаем в мясную лавку».
Меня воспитали таким образом, что любовь считалась
таинством. И рождение ребенка — таинством. Но если это вываливается наружу... Хотя, конечно, для кого-то я кажусь посмешищем.

Думаю, однополая любовь не должна пропаганди-
роваться. Я никого не собираюсь осуждать и высмеи-
вать, но почему меня заставляют смотреть то, что я
считаю противным? Ведь если мы обратимся к самой

глубинной нашей человеческой истории, то имеем распятие Христа, под ним — череп. Чей череп? Адама. На который капают капли крови. Чьей крови? Иисуса. Значит, Иисус искупил своей кровью его грех. А если искупил, стало быть что? Благословил человечество. На что? На де-то-рож-де-ние! Адам с Евой по-плотски соединились. Значит, благословенным является рождение детишек. А однополая любовь — это отсутствие ребятишек и вырождение рода человеческого. Это есть человеческий инфантилизм — ведь живут они ради себя. И ни о детях, ни о внуках даже не думают. В постели удовлетворены, бюджет сколачивают каждый свой.

А давайте все займемся однополой любовью! Так ведь никого ж не будет. Земной шар превратится в пустыню: ау-у-у!..

Нет, меня это не волнует. У меня есть внуки. Но когда идет пропаганда «этого», меня это волнует. А уж когда говорят, что это такое высокое-высокое и даже приближенное к Богу, то все — ложь, ложь, ложь... Собственный инфантилизм, прикрывающийся некой идеей. Нет, ложь, неправда!

Я поставил спектакль «Страсти по Торчалову». Что это — пропаганда? Вовсе нет. Это про совесть, про покаяние. Место действия спектакля не этот, а «тот» свет, где встречаются демократы, красноармеец, шоферюга и даже свидетельница московского пожара 1812 года. А политики в нем нет. Ее я не пущу на сцену.

Я однажды побывал в Думе и сказал, что никогда больше не переступлю ее порог. Я видел, как ходят депутаты, слышал, как они разговаривают между собой. И было в этом что-то искусственное. И язык смахивает, скорее всего, на какой-то жаргон — язык власти.

Между прочим, в советские времена я тоже был депутатом, но всего-навсего районного совета. Это совсем другое. Меня тогда уговорили помогать населению. И я ему помог. На углу Тверской и Большой Бронной переселяли из дома жителей. И вот в нем осталась одна женщина с тремя детьми. Ей предложили однокомнатную квартиру, а она соглашалась только на трехкомнатную. И она пришла ко мне за помощью. Я изучил все положения и убедился, что трехкомнатная ей не полагается.

— Единственное, что вы можете сделать,— сказал я ей,— это не выходить из дома. А если вас будет милиция вынимать, откройте окна и кричите: «Помогите!» Сойдутся люди и тогда посмотрим, как вас выселят.

Она так и сделала. Открыла окно и стала кричать:

— Люди! Люди! Дуров мне сказал, чтобы я просила у вас помощи!

— Какой Дуров? — спрашивает толпа снизу.

— Вы артиста Дурова знаете?

— Знаем!

— Вот он и сказал!

А меня вызывают в райсовет и говорят:

— Что вы делаете? Вы спятили? Разве так можно?

А я спрашиваю:

— Скажите, что ей дали?

— Трехкомнатную квартиру ей дали!

— Значит, я помог?!

— Помог,— говорят,— но вон отсюда!

Отобрали у меня мандат, и я перестал быть депутатом.

Вообще я не понимаю людей, которые рвутся к власти. Наверное, для этого нужно иметь в душе какой-то синдром. Когда я работал над ролью Микояна в фильме «Серые волки», мы снимали сцены на его даче в Пицунде. Не представляю, как на этой даче можно жить! Это огромное казенное заведение гостиничного типа с эдаким джентльменским набором: чешские хрустальные люстры, какая-то инкрустированная индийская мебель... Так вот, пошел я там в уборную. Вдруг слышу сзади:

— Объект номер один пошел в туалет.

Я думаю: «Подожди, в туалет иду я». Тут вижу внизу человека и спрашиваю:

— Простите, это вы про меня?

— Ну да,— говорит.— Вы же сейчас играете Микояна, поэтому вы для меня объект номер один.

Так вот они и жили. И рваться к этому?

А что касается искусства и политики, то они, по моему убеждению, не должны соприкасаться. Более того, искусство вообще должно быть в постоянной оппозиции. В советские времена такая оппозиция была чревата очень даже предсказуемыми последствиями. Сейчас мы живем тоже в тревожное время. Но ведь не под угрозой физической расправы!

Тогда культурой командовали в полном смысле слова идиоты. Я с полной ответственностью это говорю, потому что могу документально доказать, показав замечания, которые делались по спектаклям. Только от этого можно было сойти с ума.

Вот, например, мы семь раз сдавали «Ромео и Джульетту». В свое время это был очень красивый спектакль. Яковлева играла Джульетту, Грачев —

Ромео, Ширвиндт — Герцога, Смирнитский — Меркуцио, я — Тибальда. Нас обвиняли в жестокости. Хотя как нас можно было в этом обвинять, если мы следовали тексту Шекспира! Нельзя не отравить Ромео и Джульетту, нельзя не убить Меркуцио и Тибальда. Нас упрекали в том, что мы искажаем Шекспира, хотя достаточно было открыть книгу, чтобы убедиться в обратном. Не открывали! И я сейчас подозреваю, что представители культурных органов просто не умели читать.

Не забуду такой случай. Стоит Эфрос, к нему подходит чиновник «от культуры» и говорит:

— Анатолий Васильевич, надо у Броневого-Капулетти обязательно выбросить фразу: «И будете свидетелем веселья, подобного разливу вод в апреле».

Эфрос ничего не понимает, спрашивает в недоумении:

— Зачем?

— Ну перестаньте, Анатолий Васильевич! — чиновник искренне не понимает режиссера.— Апрель, разлив, грядут ленинские дни...

Я на всякий случай встал за спиной Эфроса, думаю: если он сейчас грохнется — поддержу. Слава Богу, не грохнулся.

В итоге Броневой в спектакле сказал: «И будете свидетелем веселья, подобному разливу вод весенних». То есть, доходило до абсурда. Как можно было жить, работать, если ты имел дело с таким руководством?

Сейчас, правда, другая опасность. Стоят передо мной на полках книги драматургов всех времен и народов, а я не знаю, что ставить. Хожу, смотрю, и ни во что не могу влюбиться. Свобода ведь требует некой мобилизации и очень жесткой дисциплины. Мы, к сожалению, культурой свободы и демократии еще не научились владеть.

Ну, ладно. Расскажу еще об одном случае «руководства» театром. Это было в ту пору, когда Эфрос перешел в Театр имени Ленинского комсомола и взял с собой несколько актеров, в том числе и меня. Тогда же директором Ленкома назначили некого чиновника Меренгофа. Я вспомнил о нем, когда много позже играл роль провокатора Клауса в «Семнадцати мгновениях весны». Этот чинуша играл в театре ту же роль провокатора — подсадной утки.

Он, например, спрашивал:

— Скажите, Эфрос, почему вы не ставите «Молодую гвардию»?

— Потому что это плохая литература! — отвечал Анатолий Васильевич.— Ее нельзя играть.

Меренгоф тут же бежал к себе в кабинет и звонил в управление культуры:

— Как можно доверить режиссуру такому человеку как Эфрос? Ведь это же законченный антисоветчик!

В следующий раз он спрашивал:

— Скажите, Эфрос, а почему вы не ставите «Как закалялась сталь»?

— Но это невозможно! — взрывался Анатолий Васильевич.— Мы уже ставили это в детском театре!

Директор-провокатор снова бежал звонить:

— Вы знаете, этот Эфрос ненавидит всю советскую литературу! Надо принимать меры!

И меры быстро приняли: «Освободить за неправильное формирование репертуара». Как будто провокаторы больше разбираются в репертуаре, чем профессиональные театральные деятели.

Тогда мы, ученики Эфроса и его воспитанники, написали коллективное письмо в защиту режиссера и стали ездить по Москве — собирать подписи известных в стране людей. Я был у Завадского, Любимова, академика Флёрова, Улановой. Никто не отказал в поддержке.

Интересная встреча состоялась с великим физиком академиком Петром Леонидовичем Капицей. Вначале он дал почитать нашу бумагу своей жене и попросил ее высказать свое мнение. Она прочитала письмо, увидела подписи и сняла трубку:

— Приезжай, Петя... Петя, надо... Петя, надо...

И Петр Леонидович не заставил себя ждать. Со мной был кто-то еще из артистов, и мы были очарованы этим великим человеком. Что нас больше всего поразило? Полное отсутствие пресловутого академизма. Этот непосредственный, любознательный, веселый человек поначалу никак не укладывался в мое книжное представление о всемирно известном ученом. Я даже не могу сказать, что он разговаривал с нами на равных. Скорее, как студент с профессорами, поскольку разговор шел не о его деле, а о нашем — о театре. И он не стеснялся перед нами своей некомпетентности в этом вопросе, с интересом расспрашивал, удивлялся, смеялся, ероша свои непокорные волосы. А потом, вспомнив свою молодость, азартно и весело рассказывал о смешных и курьезных случаях.

Я думаю сейчас, он был по-настоящему счастливым человеком. И не только потому, что смог многое сделать в науке, добился всемирного признания. А потому, что сумел не растерять все хорошее, естественное, данное ему от природы.

Надо было видеть его восторг, когда его взгляд упал на подпись Завадского.

— Воюет Юрка! — воскликнул он с детской непосредственностью.— И Галка туда же! — Это он про Уланову.— Тогда придется и мне подписать.

Для него все были Пети, Вани, Галки...

Увы, все наши старания не увенчались успехом. Нас, сборщиков подписей, вызвал к себе большой тогда партийный деятель Сизов. Попросил объясниться. У него была манера ко всем обращаться на «ты».

— Ребята,— сказал он, выслушав нас,— все слишком далеко зашло. Вот ты все ездишь по занятым людям. У Капицы полтора часа отнял, а он за это время что-нибудь бы изобрел. Перестань быть наивным.

— А отчего это у нас,— интересуюсь,— полный зал кагебешников? И машины кагебешные. Я слышал, как в одной машине слушали зрительный зал.

— Ну,— говорит,— до нас дошли сведения, что вы собираетесь выйти на демонстрацию.

— Николай Трофимыч,— пытаюсь возразить,— ну о чем вы! Мы же знаем, с кем имеем дело. У вас танки и ракеты, а у нас только пипетки.

— Кончайте, ребята,— заключил беседу Сизов.— Я на вашей стороне, но уже бессилен что-либо сделать.

Это была страшная, несправедливая акция. Кому она была нужна, до сих пор понять невозможно. А впрочем, истинный талант всегда раздражает власть имущих. Эфросу предложили перейти в Театр на Малой Бронной и взять с собой десять артистов. Я, конечно же, ушел вместе с ним. Ему сказали: «Поставите хороший спектакль и будете главным режиссером».

Эфрос поставил прекрасный спектакль, спектакль-легенду «Три сестры». Его великолепно оформляли замечательные художники Алла Чернова и Виктор Дургин. Мы сыграли с триумфом тридцать три спектакля, и нам устроили экзекуцию.

На спектакль пришла Фурцева в сопровождении Аллы Тарасовой и семи мхатовских актеров. В зал не пустили ни Ефремова, ни Любимова, ни Симонова! И ни одного нашего артиста, не участвовавшего в спектакле!

После спектакля наши актрисы подошли к Фурцевой и попытались выяснить, почему не были приглашены Ефремов, Любимов, Симонов. Министр культуры не выдержала и стала кричать:

— Что у вас за воспитание?! Что вы себе позволяете?! — И убежала.

Буквально убежала. Думаю, испугалась за собственное воспитание, которое могло бы вырваться наружу. Оказывается, мхатовцы узнали, что в кассах продаются билеты на наш спектакль с «нагрузкой». А «нагрузка» — билеты на «Три сестры» МХАТа.

Чуть позже Ангелина Степанова выступила на какой-то партийной сходке и разгромила наш спектакль, на котором даже ни разу не была. Позже эта манера критики получила очень широкое распространение. Помните? «Я эту книгу Солженицына не читал, но поддерживаю товарищей, которые ее заклеймили!»

Вот я и спрашиваю: что мне теперь — убиваться по тем временам, когда в светлое лезли со свиным рылом? Что мне теперь — страдать, что тогда не было «рыночных» отношений?

Да артисты никогда не жили богато! Со времени учреждения русского драматического театра в 1756 году, когда его директором был назначен поэт и драматург Александр Сумароков. Уже через короткое время Александр Петрович жаловался своему покровителю Ивану Шувалову:

«...а всего прибытка нет пятисот рублей, не считая, что от начала театра на платье больше двух тысяч истрачено. Словом сказать, милостивый государь, мне сбирать деньги вместо дирекции над актерами и сочинения и неприбыльно и непристойно; толь и паче, что я и актеры обретаемся в службе и в жалованьи ее величества, да и с чином моим, милостивый государь, быть сборщиком не гораздо сходно... сборы толь противны мне и несродственны, что я сам себя стыжусь: я не антрепренер — дворянин и офицер, и стихотворец сверх того.

И я, и все комедианты, припадая к стопам ее величества, всенижайше просим, чтобы русские комедии играть безденежно и умножить им жалованье. А сбора, чтобы содержать театр, быть не может, и все это унижение от имени вольного театра не только не приносит прибыли, но ниже пятой доли издержанных денег не возвращает, а очень часто и день не окупается; а мне — всегдашние хлопоты и теряние времени... Одно римское платье, а особливо женское, меня довольно мучило и мучит; то еще хорошо, что от великой княгини пожаловано».

Великая княгиня — это будущая императрица Екатерина II. Вот откуда идет традиция меценатства!

А что изменилось через сто лет? Если проследить актерскую судьбу по пьесам Островского, вы не найдете ни одного богатого артиста. Правда, время было более спокойное, чем сейчас, и зарплату вовремя выдавали. Но, к сожалению, я не могу повысить зарплату всем артистам, не могу доказать, что мы необходимы стране. Если артисты сейчас забастуют, думаю, это очень устроит наше правительство. Оно скажет: «Вот и слава Богу! Давайте их всех разгоним».

Мне кажется, мы чаще раздражаем, а не восхищаем наших руководителей. А, собственно, когда и в какой стране театр не раздражал императоров, королей, герцогов, губернаторов? Не копайтесь в своей памяти — не найдете в ней ни одного беспристрастного благодетеля ни среди императоров, ни среди герцогов, ни среди генсеков.

А вот традиция меценатства у нас, кажется, начинает возрождаться. Когда я ставил в театре «Лес», мне здорово помогла одна фирма. На ее деньги я сшил костюмы для спектакля

Бизнесмены сегодня очень сильно могут помочь театру, кинематографу, тем областям искусства, которые переживают тяжелые времена. И, насколько мне известно, многие уже помогают.

Но, чего греха таить, среди благодетелей спонсоров встречаются и такие, которые напоминают мне деда-бизнесмена из анекдота. Может быть, не слышали? С удовольствием расскажу, тем более что он как раз тут будет к месту.

В один сибирский город приезжает ночью человек. Заснеженная станция, никого нет, и стоят только запорошенные снегом сани с извозчиком. Человек подходит и спрашивает:

— Дед, как мне добраться до Алексеевки?

Тот в ответ:

— Я как раз в нее и собираюсь. Клади чемоданы, садись.

— А сколько ты хочешь, чтобы я тебе заплатил? — спрашивает человек.

— Пятьсот рублей.

Поехали они, и через некоторое время дед говорит:

— Слушай, дорогой, сейчас будет крутая гора, а у меня кобылка старая, ты сойди и пойди рядом.

Тот сошел. Идут дальше, вдруг дед снова говорит:

— Сейчас еще круче будет, ты чемоданы свои сними с саней и понеси пока сам.

Так они и пришли в Алексеевку. Человек расплачивается и говорит:

— Дед, тебе нужно было заработать пятьсот рублей, мне надо было в Алексеевку. Скажи, а зачем мы лошадь-то с собой взяли?

Вот такой анекдот. Мораль ищите сами.

О ВРЕМЕНИ И О СЕБЕ

Несколько лет назад газеты любили задавать такие наивно-игривые вопросы: «Что бы вы сделали, если бы были директором банка?», «...если бы были директором завода?», «...если бы были министром культуры?» и т. д. и т. п. Эта бессмысленная игра завершилась так же бездарно, как и блаженной памяти дискуссия о физиках и лириках. У нас вообще любят больше поговорить, чем делать.

Видимо, вспомнив об этой игре, как-то один журналист спросил меня:

— Если бы вас избрали президентом России, ваш первый указ?

— Отречение! — не задумываясь, ответил я.

Журналист, судя по выражению его лица, не ожидал от меня такого ответа. И я ему вынужден был чуть ли не на пальцах объяснить, почему поступил бы именно так.

В самом деле, я вообще не представляю себе, как люди берутся с непозволительным самомнением руководить государством, совершенно ничего не смысля в этом.

Например, в США огромный налаженный государственный механизм, отработанные все системы власти, и кандидат на президентский пост знает, что его ждет.

Горбачев и Ельцин не знали. И до сих пор не знают. Потому что десятки лет мы нарушали нормальные человеческие и экономические взаимоотношения. Так называемый социализм, хотя бы и развитой, не привел ни к чему, кроме полного обнищания. И не надо кивать на Горбачева и Ельцина. Никогда мы не жили хорошо, просто вычерпывали из огромного котла. Но всему есть предел. Неужели люди не помнят, как им жилось? Неужели не помнят вечные очереди, чудовищные коммуналки, папины-мамины зарплаты и сведение концов с концами? Неужели не помнят, когда появились первые апельсины в Москве? Не помнят вообще ничего?!

И кивать только на войну нельзя. Война была мировая, и в ней участвовали почти все государства. Наши жертвы в войне были огромны. Но давайте посмотрим на экономику страны-победительницы и поверженной страны...

Я абсолютно безграмотен в экономике. Но разве можно отпускать цены, когда не насыщен рынок! Это явно торжество спекулятивного мира: кто был ничем, тот станет всем. Начинается диктатура, только уже не пролетариата, а неизвестно кого. Люмпенов? Малограмотные барышники, проходимцы скупают и перепродают, делают деньги из воздуха, ничего не производя, и становятся миллионерами, хозяевами жизни.

У меня, например, в голове не укладывается: как я могу у вас купить, скажем, за тысячу рублей магнитофон и тут же продать за полторы. Сгораю от стыда даже при мысли об этом! Но ведь этим, с позволения сказать, «бизнесом» вынудили заниматься миллионы учителей, инженеров, врачей, людей культуры и искусства!

Так что на президентство я не пойду. Просили стать главным режиссером театра — и то отказался. Я артист и должен заниматься своим делом. Политик же должен обладать особым талантом, в некотором роде диктаторским, а это мне совершенно несвойственно. Я могу ругаться с артистами, орать на репетиции, иногда теряю самообладание. Но это вовсе не от желания кого-то подавить, а просто от бессилия, когда хочется сделать лучше, а не получается...

А вот один из «наших» все же пробился — Рейган! Пошел на президентство, и у него вроде что-то получалось.

Я люблю такое определение: каждый — дирижер своей судьбы. Конечно, бывают моменты блестящих удач, крупного везения, но я не отношу это к ниспосланию свыше. Человек все же строит свою судьбу сам. Я крещеный и люблю ходить в церковь. Песнопения, вся церковная атмосфера, лики, окружающие тебя — все это очищает, отвлекает от дурных мыслей.

Много лет назад я был на религиозном празднике в Западной Белоруссии. В костеле священник читал проповедь. Потом начался крестный ход. Продавали пряники, конфеты и было так красиво, так замечательно. А напротив костела стоял Дом культуры. И по вечерам — тогда еще не было дискотек — там устраивали танцы. С милицией, собаками, поножовщиной...

Вот и все. Мы перечеркнули церковь, которая, в каком бы мракобесии ее ни обвиняли, призывала нас к добру, отвращала от дурных поступков, все время напоминая о высшем суде, когда каждому человеку воздается по делам его.

Все смели одним порывом и наступила пора безверия и, стало быть, безнравственности, когда все дозволено. «Грабь награбленное», «Пролетарии всех стран, соединяйтесь!» — этими лозунгами мы фактически узаконили разбой и нравственный беспредел. И безнаказанно уничтожали миллионы людей, породив в душах страшный цинизм.

Когда я готовился к постановке спектакля «Обвинительное заключение» по повести Н. Думбадзе «Белые флаги», то посетил одну зону, где пообщался с убийцами. Как режиссер и актер я пытался вникнуть в психологию убийцы, понять мотивы его действия. Начитался Достоевского! А один мне и говорит:

— Ну чё ты, Константиныч? Разве я хотел убивать? Да ни хрена! Помахали кулаками, и я попал... Видишь, какой у меня кулак? Ребра ему вроде сломал, ребра уперлись в сердце — он и готов! И воще, что ты ко мне пристал? Ворошилов сколько смертных приговоров подписал? Миллионы! А его, суку, повезли на лафете. Так что отстань.

Я понимал, что это он мне лапшу на уши вешает, но возразить ему ничего не мог: его ссылка на Ворошилова была убийственна. И опять вспомнил Достоевского: им можно, а мне нельзя?

Вот я работал над ролью Левия Матфея у режиссера Юрия Карры в «Мастере и Маргарите» по Булгакову. Всю историю Понтия Пилата и Иешуа отсняли в Израиле.

Я говорил, что вернулся из Америки в прекрасном настроении — она мне очень понравилась. А вот из

Израиля приехал грустный-грустный. Хотя там тоже солнце, много фруктов, Средиземное море...

У меня осталось такое ощущение, что девяносто процентов живут на земле обетованной как бы в командировке, в чемоданной тревоге. Но ведь они уехали навсегда! Правда, никто особенно и не хвастался, что счастлив.

Горничной в гостинице, где я остановился, был молодой мужчина — бывший главный энергетик одного крупного комбината. Он сказал:

— Кому я нужен, какие тут комбинаты! Слава Богу, хоть какая-то работа есть!

Он не стеснялся своей нынешней работы, он страдал оттого, что не может воспользоваться своей серьезной и мощной специальностью.

Сейчас меня трудно чем-либо удивить, а тем более поразить. И не потому, что я стал равнодушным или очерствел. Нет! Просто с годами делаешься мудрее и относишься ко всему философски.

Был я у Гроба Господня. Попал в поток туристов в шортах, на каждом шагу продают святую водичку, хватают за руки, что-то предлагают. И эта суета сует отвлекает от возвышенного, не дает воспарить духом. Остается только погладить исторические камни и бежать подальше, чтобы сохранить в себе ощущение чего-то величественного.

Но вот что меня поразило! Я бродил по пустыне, где Моисей водил иудеев сорок лет. Это было потрясающее зрелище! Ни деревца, ни травинки — одни холмы розово-коричнево-желтого цвета. Эта пустыня затягивает, завораживает своей бесконечностью и таинственностью. Словно ты погружаешься в какую-то бездну. Хочется уйти за холм, а когда ты уходишь за него, то видишь, что за ним — такой же, лишь другой формы. Но тебя уже притягивает неизведанное и хочется посмотреть,— а что же все-таки дальше? И эта бесконечность поражает.

Я шел, шел, а потом подумал: нет, надо возвращаться, потому что просто не найду обратного пути — однообразные холмы и никаких ориентиров. Сплошная желтизна! И ничего больше. Это завораживает какой-то дикой первозданностью, и невольно приходит мысль: вот так начиналась жизнь. И еще — невольная ассоциация с Арктикой, где только лед и вода.

И еще. В Стену плача в Иерусалиме все вставляют записочки — все чего-то просят у Бога. Я не стал этого делать. Зачем? У Всевышнего и так забот хватает, зачем еще его перегружать? Что нам подарит будущее — то и подарит. Горе? Переживем, не впервые. Радость? Слава Богу. Хуже всего, если все останется в нынешнем неопределенном, тревожном состоянии.

Я никогда не был, как я называю, озирающимся. А сейчас... Такая тревога за все, такая внутренняя напряженность, что невольно становишься им. А люди должны жить, не озираясь.

Телячьей восторженностью я никогда не страдал. Праздники в нашей жизни мгновенны, эпизодичны, а вся жизнь — борьба, страдания, потеря близких, постоянные сомнения в себе, в своем деле, в своих способностях, болезненные размышления о смысле жизни... Как можно быть беспечно счастливым?!

Однажды, еще в пору моей молодости, меня встретил на улице один пожилой писатель и спрашивает:

— Левочка, как дела?

Я говорю:

— Нормально.

А он как затопал ногами, как закричал:

— Как вам не стыдно! Вы в жизни вытащили такой счастливый билет! Работаете в театре, играете такие роли! Вы должны были сказать мне: «Я счастлив!» А вы? Вам не стыдно? — И убежал в праведном гневе прочь.

Я тогда растерялся. Но тем не менее жизнерадостнее и счастливее после этого не стал. Каким был, таким и остался: в меру веселым, в меру задумчивым. Видно, на роду мне написано быть Трагическим клоуном.

Счастье — это как букет цветов, как рождение ребенка, как влюбленность. Это все редкие фрагменты. В основном жизнь — это работа, потеря друзей, потеря близких. Я видел одного счастливого человека. На пляже в Болгарии бегал немец, и он радовался всему. Он пил пиво и хохотал, бежал в море и хохотал, хватал ракушку и хохотал. Все его стеснялись и прятались от него. Так что страшнее этого счастливого человека я ничего не видел.

А вот что это — смешно или так грустно, что плакать хочется? Вот ехал я в Израиле мимо банановых плантаций. Ну ехал и ехал. И вдруг почувствовал в себе некое смятение. Что-то я должен сделать... И поймал себя на мысли, что мне неудержимо хочется залезть на эту плантацию и украсть банан! Этих бананов там горы, но мне именно захотелось украсть! Зачем?! Не знаю.

Приезжаю в Москву, узнаю: у моего друга Ярослава Голованова украли «жигули», у Булата Окуджавы обворовали дачу. Ужасно, но понятно. Воруют не только в России. Но вот недавно отремонтировали дом, в котором я живу. Чистый, светлый подъезд. И на новой стене кто-то отпечатал грязные следы сапог. Зачем? Я этого не понимаю! Я не понимаю, зачем выбивают прозрачную плитку на троллейбусных остановках! Ведь ее не крадут, что было бы понятно, а разбивают!

С корнем крушат телефоны-автоматы. И ведь эти мерзавцы совершенно не думают о том, что их мать или отец могут умереть от сердечного приступа, потому что нельзя будет вызвать «скорую». Это что — дебилизм или та же страсть на генном уровне?

И что страшно, этих «шалунов» иные считают обычными проказниками: переживают детский возраст. А если кто-то ведет себя иначе, могут причислить и к «чудикам». Я за свою жизнь сыграл немало ролей этих самых «чудиков» или, с точки зрения обычных людей, странных типов. Но суть не в том, как этих «героев» называть... А, впрочем, почему?

Давайте-ка для примера поставим два разных ударения на коротеньком слове «чудно». На первый слог — значит «прекрасно», «замечательно». На второй — «удивительно». Правда, хорошо получается?

Лично я, исходя именно из соединения этих двух смыслов, определяю своих любимых персонажей. Мы сегодня лихо наловчились подразделять людей на всякие категории. И уж если наклеили ярлык, то человек, по нашему разумению, обязан ходить с ним всю жизнь. Но если вдруг он поведет себя иначе, если сорвет со лба этот ярлык,— значит, чудик, тип со странностями, так сказать, не от мира сего. А ведь это, в сущности, прекрасно, когда человек не укладывается в общий шаблон. Это говорит о богатстве его натуры, о самобытности, уникальности.

Порой люди, особенно «достигнув степеней известных», в расхожий шаблон по собственной воле лезут, боясь прослыть чудаками и тем самым пошатнуть завоеванный авторитет. Живет, к примеру, рядом человек — веселый, дружелюбный, открытый, контактный, как теперь любят выражаться. Но вдруг получает чин — и не узнать человека!

Ступает важно, смотрит на всех свысока, в каждом жесте значительность. При этом он, бедняга, искренне считает, что это должность его к тому обязывает, положение требует, что именно так и только так должен вести себя руководитель. Нет, должность дает возможность человеку полнее раскрыть свои профессиональные, душевные таланты. Амбициозный мундир лишь сковывает их.

В наш рациональный век некоторые склонны причислять к странностям такие качества души человеческой, как бескорыстие, готовность помочь незнакомым людям, самозабвенная увлеченность делом. Порой странностью объявляют то, что должно было бы быть нормой поведения для всех.

Я уже упоминал о своей встрече с лауреатом Нобелевской премии Петром Леонидовичем Капицей, который поразил меня своей непосредственностью и искренностью. А вот еще пример. Наш великий пианист Святослав Теофилович Рихтер, встречая на улице знакомых и здороваясь с ними, непременно снимал головной убор. Как-то он остановил меня и поинтересовался делами театра. А погода стояла промозглая, шел снег и было мерзко. Но в продолжение всей нашей беседы он так и не позволил себе надеть шапку.

Что это, чудачество? А по-моему, истинная воспитанность, не на громких словах, а на деле доказывающая его уважение к человеку.

Коль скоро я упомянул о Рихтере, не могу не привести один случай. Музыкант гастролировал в Перми и на одном из концертов сыграл, как ему показалось, хуже, чем обычно. Никто этого, конечно, не заметил, слушатели восторженно аплодировали. Но сам себе он этого простить не мог.

После концерта его ждали в гостинице. Он вернулся туда лишь час спустя — расстроенный, недовольный. Оказывается, бродил один по городу, переживал. Что, казалось бы, значил для него, всемирно известного музыканта, какой-то рядовой концерт в Перми? Но он не делал различия между странами, городами и слушателями. Этот человек уважал искусство в себе, а не собственную персону в искусстве.

И вот я думаю: можно в один миг потерять все свои деньги — в самом прямом смысле. Можно и наоборот, допустим, выиграть в лотерею машину. Но ни при каких обстоятельствах невозможно мгновенно обнищать духовно, превратиться из человека воспитанного в хама. Если на наших глазах такая метаморфоза и случается, значит, воспитанность этого человека была не неотъемлемым свойством души, а чем-то вроде личины: захотел и сбросил. Подлинное духовное оскудение — процесс длительный, постепенный. И начинается оно с таких, казалось бы несерьезных мелочей, на которые и внимание обращать смешно. Подумаешь, не открыл перед женщиной дверь, не уступил пожилому человеку место в автобусе. А клубок между тем разматывается.

Для человека, разучившегося оказывать зримые, конкретные знаки внимания ближнему, само понятие «уважение к людям» становится абстрактным, оторванным от реальной жизни, фикцией в конечном счете.

А что взамен? Наука доказывает, что ничто в мире не исчезает бесследно. Так и атрофировавшееся «уважение к людям» вовсе не рассеивается прахом. Оно трансформируется в неоправданно раздутое «уважение к себе», а проще сказать — в обычный махровый эгоизм. Это, как вы сами понимаете, уже не мелочи жизни, а нравственное зло, уродующее человеческую личность, зло, социально опасное для общества.

И вот такому эгоисту встречается человек, находящий радость в том, чтобы раздаривать себя другим, получающий удовольствие от работы не в тот момент, когда платят зарплату, а в самом процессе, в сознании своей полезности. Такой человек самим фактом своего существования вызывает в своих антиподах раздражение, даже злобу. Они подозревают его в лицемерии, глупости, тайной корысти — только не в искренности, потому что само понятие «бескорыстие» ими давно забыто.

Нередко и мои сценические герои идут к людям с добром, а натыкаются на стену непонимания, да и прямого хамства. И автор пьесы таких героев не из пальца высасывает, а, к нашему общему стыду, берет из жизни, из повседневности. Эгоизм — штука въедливая и далеко не безвредная. Эгоист защищает свои позиции до последнего, изо всех сил стараясь принизить в глазах общества того, кто самой жизнью опровергает его ложные принципы.

И вот здесь не могу не возразить тем нашим критикам, которые упрекают этих «странных» людей в том, что они вовсе и не герои — не умеют активно противостоять злу, действенно бороться с ним, не в состоянии защитить от несправедливости не только других, но и самих себя. Так стоит ли, рассуждают они, делать таких людей героями книг, спектаклей, фильмов?

Хочется их спросить: а если человек сумел душу в чистоте сохранить, не осквернил ее злобой и подлостью, свои добрые дела напоказ не выпячивал, благодарности за них громогласно не требовал — разве этого мало? Разве само по себе существование таких людей не является фактом положительным, значимым, достойным внимания и осмысления?

Мы становимся чересчур практичными и требуем немедленно отдачи не только, скажем, от фондов, вложенных в производство, но и от содеянного добра. Другими словами — часто не по духовной потребности добро творим, а из каких-то более меркантильных соображений. Действуем по принципу «ты — мне, я — тебе». Замыкаем добрые дела в круг знакомых, нужных людей, от которых мы в какой-то мере зависим. Расходуем сердечность свою скупо, избирательно, с расчетом получить за нее сполна той же монетой. А «странные»-то люди творят добро безоглядно, бескорыстно, негласно. Для них это такая же жизненная потребность, как пить и есть.

У «странного» человека есть и еще очень дорогое достоинство: он всегда тянется к людям, старается сблизиться с ними, наладить контакт — не деловой, душевный, чисто человеческий. Понимаете? Не к телевизору его тянет, а к живым людям! Кстати, уже не раз высказывалась мысль, что телевизор, несмотря на кажущуюся объемность связи человека с миром, не объединяет человека с себе подобными, а скорее, разъединяет, если превращается в единственное окно его общения с этим миром. Человеческая же коммуникабельность прогрессирует в обратном направлении.

Утрачивается традиционная культура непосредствен-
ного общения.

Как-то на творческой встрече со зрителями я спросил у зала: «Часто ли вы ходите в гости?» И большинство в один голос ответили: «Не-ет!» А лет двадцать-
двадцать пять назад я бы услышал дружное: «Да-а!»

Что же с нами случилось? Парадоксально, но факт:
чем благополучнее стали жить люди, тем они стали
разобщеннее, равнодушнее друг к другу. Мы порою
даже не знаем, кто живет рядом с нами на лестничной
площадке.

Вспоминая сейчас военные и первые послевоенные
годы, я прежде всего вспоминаю атмосферу всеобщей
спаянности, взаимопомощи, какого-то кровного родст-
ва. Я помню эвакуацию, когда судьба сводила под одной крышей самых разных, совершенно незнакомых
друг с другом людей. Но я не помню ни единой ссоры
из-за того, что кому-то пришлось потесниться, пожертвовать покоем и привычными удобствами.

Когда на Чернобыльской АЭС случилась страшная
беда, мы ощутили не только разумом, но и сердцем
кровную связь друг с другом. Люди делом доказыва-
ли, что доброе отношение, бескорыстная помощь
ближнему стали и для нас явлением обычным, нор-
мальным, а вовсе не «странным», из ряда вон выхо-
дящим. Но неужели для этого нужна лишь экстре-
мальная ситуация?

Жизнь человеческая так коротка. Обидно, что немалую часть ее мы тратим на то, что не имеет для человека истинной ценности, хотя зачастую имеет вполне конкретный ценник. Деньги, вещи, престиж как
будто отнимают у человека душу, закабаляют его, де-

лают своим рабом. Нормально ли это? Наверное, гораздо менее нормально, чем спокойное отношение к ним некоторых людей, умеющих отличить ложные ценности от истинных.

Иногда приходится слышать:

— Твои «чудики», старик, несовременны. Жизнь ушла вперед, и они сегодня со своими смешными принципами безнадежно отстали!

Нет, уж позвольте! Эти «странные», на ваш взгляд, люди отнюдь не из прошлого. Скорее — из будущего. Они живут по тем нравственным законам, по которым когда-нибудь будут жить все люди. И «странности» присущи не только людям науки и культуры, о которых я упоминал и которые впитали в себя интеллигентность с молоком матери. Стремление к добру, искреннее желание оказать ближнему бескорыстную помощь присуще каждому человеку, который сохранил в себе «чувства добрые».

Вот у меня сохранился вырванный из настольного календаря листок. Он дорог мне не тем, что подогревает мое тщеславие,— я «звездной» болезнью, слава Богу, не болею. Он ценен для меня тем, что подтверждает мою убежденность в том, что мои «чудики» не только не «безнадежно отстали», они современны в самом высоком смысле этого слова.

Итак, возвращаюсь я из театра домой и читаю у подъезда объявление о том, что в связи с тем-то и тем-то горячую воду жильцам отключили. Ну отключили и отключили — экая катастрофа! Открываю почтовый ящик и нахожу в нем этот самый листок из календаря, на котором написано (сохраняю в неприкосновенности орфографию и пунктуацию):

*«В связи с экстренным отключением воды, Вам,
уважаемый и горячё любимый нами всеми (бригадой
слесарей Фрунзенского района) Л. К. Дуров мы объ-
являем: что воду лично вам не отключим!!! Никогда!
Мы ценим вас и любим*

Ваши поклонники (слесаря)».

Сколько уж было сочинено об этих сантехниках-
«мздоимцах» и фельетонов, и анекдотов, и скетчей, и
прочих зубоскальных вещей! С головы до ног оплевали
целую профессию. А вот ведь не пришли за мздой, не
попросили «на бутылку» за услугу. И ведь, наверняка,
думали, что если известный артист, значит, у него ку-
ры деньги не клюют. Ничего подобного! И даже имен
своих не оставили, просто: «слесаря». А ведь, казалось
бы: уважение уважением, но работа есть работа —
отключили и дело с концом. Не отключили!

Мелочь? Ой ли! А что, жизнь человека состоит из
великих свершений? Да полноте! Она и состоит из таких мелочей, которые и формируют человека: его характер, мировоззрение, отношение к себе подобным, в
конце концов.

Когда у нас в театре шли спектакли, на которые
невозможно было попасть, я протаскивал студентов
через окно гримуборной, и они стояли в зрительном
зале по стенам.

Их спрашивали:

— А вы как тут оказались?

И они с детской непосредственностью отвечали:

— А нас Дуров пропустил.

Мне, конечно, за это попадало. Но вот однажды после спектакля в мое раскрытое окно влетел апельсин.

Я перегнулся через подоконник и увидел группу молодых людей.

— Извините,— сказали мне снизу,— но у нас больше ничего нет: мы — бедные студенты.

Нужны еще слова? За ними — пустота...

Бедные, бедные, бедные...

В течение многих лет нам вдалбливали, что патриотизм, любовь к Родине определяются нашей нищетой. Чем ты беднее, тем преданнее. Будь ты академик, писатель, артист, спортсмен — безразлично.

В одном из своих интервью хоккеист Вячеслав Фетисов вспоминал:

«Когда наши спортсмены начали выезжать за границу, появилось специальное постановление о том, что спортсмен не имеет права получать больше нашего посла. Скажем, если посол имел 1200 долларов в месяц, то спортсмен, сколько бы он ни зарабатывал, не мог иметь ежемесячно больше тысячи. На этом неплохо наживался наш спорткомитет. Так вот, когда нам разрешили играть в НХЛ, то сразу же поставили условие: получать только 10% от контракта. А на наш вопрос, почему не 20 или 30%, ответили, что получили установку: «В СССР миллионеров не плодить!»

Верно, у нас десятилетиями плодили только нищих. А после распада СССР почти вся страна оказалась за гранью нищеты (у нас это скромно называют: «за гранью бедности»). И произошла поразительная метаморфоза: страна нищих стала плодить миллионеров. Здесь не нужно большого ума, чтобы понять, кто кровососущий, а кто — жертва.

Я никогда не мечтал быть не только миллионером, но просто богатым человеком. Говорю это без всякого кокетства. У меня самое скромное желание: не думать о куске хлеба. Потому что это унизительно, недостойно человека. Любого человека, а творческого — тем более. Какие возвышенные чувства может пробуждать актер в зрителях, если в его глазах горит не огонь вдохновения, не сила страсти и убеждения, а светятся тоска и отчаяние?

И все же я со своими товарищами по сцене бываю искренне счастлив. Выпускается интересный спектакль, есть хорошие роли, и мы забываем обо всем на свете, мы творим свой мир по своим сценическим законам. Оставшись наедине со зрителями, мы вместе пытаемся создать атмосферу взаимопонимания. И если это удается, нам больше и желать нечего — и актерам, и зрителям. И нет тогда счастливее нас людей на свете!

Я никогда не был зажравшимся. Если я видел, что роль можно сыграть как-то иначе, не шаблонно, я соглашался и на эпизоды. Ведь что для меня главное в герое? Понять мотивы его поступков, разобраться в тех пружинах, которые движут его характером.

Вот я играл Яго в «Отелло». Очень интересный тип! Яго намного сложнее Отелло. Кто-то даже писал, что трагедию Шекспира следовало бы назвать не «Отелло», а «Яго». Зачем Яго запускает свою интригу? Дездемона ему нужна? Нет, не нужна. Отелло он ненавидит? Не столько ненавидит, сколько завидует: черный, а уже генерал, а он белый, но поручик. Почему мальчишка Кассио выходит в начальники, а он — старый вояка — на месте топчется?

«Отелло» — трагедия не любви, а зависти. Яго побеждает в интриге, а не в жизни. Эфрос ведь как придумал в финале: я пытался лезть по лестнице и не мог — висел на одной руке, как тряпка.

А что касается эпизодов, то хочу напомнить старую театральную поговорку «нет маленьких ролей, есть плохие актеры». Что, в самом деле, мы хуже помним Юродивого, Селифана или Лизоньку, чем Шуйского, Чичикова или Чацкого? Именно эти так называемые «второстепенные» персонажи далеко не второстепенны в выражении авторской мысли и в выявлении характера «главного» героя.

Вспоминаю историю, рассказанную мне когда-то одним старым писателем.

Однажды к известному драматургу Борису Сергеевичу Ромашову пришел молодой автор с просьбой прочитать и оценить его только что написанную пьесу. Борис Сергеевич относился к молодым авторам с величайшей предупредительностью и даже с каким-то благоговейным обожанием. Он прочитал пьесу, и когда автор пришел, прежде всего спросил его:

— Скажите, голубчик, а сколько лет вот этому вашему герою? — И ткнул пальцем в список действующих лиц.

— Ну, тридцать-тридцать пять приблизительно,— неуверенно ответил молодой драматург.— Собственно, это неважно, у него в пьесе всего три-четыре реплики.

Ромашов как-то ссутулился и уже бесцветным голосом спросил еще:

— А где он родился? Кто он?..

Юноша решил, что маститый драматург просто не в духе, придирается, и решил промолчать. Ромашов тоже молчал, а потом задумчиво проговорил:

— Как же так?.. Вы сами не знаете своего героя, а хотите, чтобы актер сыграл его и зритель поверил в его игру...— Борис Сергеевич безнадежно махнул рукой и вздохнул: — Вам даже разница в пять лет ничего не говорит, а ведь за это время прогремела война... Извините, голубчик, но уж своих-то героев вы обязаны знать. Прошу вас, узнайте и приходите снова, расскажете мне о них.

Начинающий автор, конечно, мог не разбираться во всех тонкостях литературного мастерства. Но сколько расхожих героев в произведениях разных жанров именитых писателей, героев, играющих «роль прохожего»: пройдет такой персонаж по страницам романа или по театральной сцене и, лишь только скроется из поля видимости, сразу же забывается.

У настоящего художника каждый литературный образ несет в себе неизмеримо больше того, что о нем сказал автор. В этом, собственно, и заключается неисчерпаемость (или множественность) конкретного образа. Поэтому работа в эпизоде или над ролью второго плана ничем принципиально не отличается от работы над главной ролью.

Главная мысль в спектакле или в картине, как правило, выражается, конечно, через главных героев. И ты должен всячески помочь выразить ее главным исполнителям. Но, с другой стороны, зачем ты сам нужен, скажем, в картине, если ты не несешь ничего нового? Просто так на заклание никто себя не отдает. Партнерство — это всегда соавторство. Помимо того, я сам являюсь автором своей собственной роли, какой бы маленькой она ни была. Конечно, вместе со сценаристом и режиссером. Но я же тоже что-то свое в нее привношу.

Вот тот же Клаус в «Семнадцати мгновениях весны». Злодей, каких мало. Но, чтобы выполнить свою провокаторскую миссию, он должен войти к людям в доверие, расположить их к себе. Он ставит себя как бы в зависимость от них, ищет защиты, сочувствия. Он обаятелен, он контактен. Тем и страшен, когда знаешь, для чего ему это. То есть, несмотря на малый объем роли, мы видим здесь сложность характера, его неоднозначность, многомерность. Потому роль и запомнилась. Я тогда получил очень много писем от зрителей.

Самое главное в характере всегда берешь все-таки от автора. А потом уже ищешь к этому приложение своих сил и возможностей — своего амплуа. Что ни говорите, а оно, актерское амплуа, все-таки существует, и никуда от него не денешься.

Вот довелось мне сниматься в картине «Зачем человеку крылья». Там я должен был сыграть деревенского мужичонку. Ну, одежонку и все остальное мне, как положено, подобрали. Я за лошадьми ухаживаю. Попросил только, чтобы одежду мою не трогали — сапоги бы не чистили и рубашку не стирали. Чтобы они лошадью пахли — мне это помогает. На съемки езжу сам на телеге, вожжи в руки и — айда! И нарвался.

Еду как-то по дороге, лошадь понукаю, а навстречу идет старушка.

— Здравствуйте,— говорю.

А она:

— Откуда ты?

— Да вот из деревни Белый Колодезь.

— Что-то,— говорит она,— я тебя не припомню. Я в этой деревне вроде всех знаю, а такого заваляшего первый раз вижу.

Очень мне это понравилось: «заваляшшего»! Лучшей оценки моей роли мне и не нужно было.

Такого же мужичонку мне довелось играть в трагикомедии белорусского драматурга Андрея Макаёнка «Трибунал». Это роль колхозного пастуха Терешки Заваляшшего, убогого и, вроде бы, недалекого мужичка, над словами и поступками которого то и дело хохочет зрительный зал.

Сама драматическая история о том, как Терешка, ставший при немцах старостой-полицаем и даже гордящийся и хвалящийся этим, оказывается храбрым патриотом, принявшим свою должность по приказу партизанского командования,— на первый взгляд представляется простой и ясной, в чем-то даже детективной. Однако она дала мне материал для углубленного толкования сущности центрального персонажа, и я этим воспользовался.

Главное, что мне дал материал пьесы, ее жанр — это резкое, без переходов, столкновение двух стихий искусства: комической и трагедийной. И это почти в каждой сцене. Я и вел свою игру одновременно в двух планах.

Как это у меня получилось, судить не мне, но вот что писал по этому поводу театральный рецензент Я. Тубин:

«В двадцатые годы выдающийся режиссер Таиров многое сделал для создания театра трагедии и арлекиниады. Одни и те же актеры у него играли сегодня «Федру» и «Грозу», а завтра карнавальную оперетку «Жирофле-Жирофля». Гораздо трудней совместить такие разнополюсные начала в пределах одного спектакля, и уже тем более — одной роли. Но результат оказывается поразительным. И здесь дело не в виртуоозности, с какой артист Дуров меняет маски, а в том, что в эти моменты мы начинаем постигать некоторые существенные стороны человеческого бытия, где трагическое иногда принимает форму смешного, а высокое выглядит заурядным. Но только выглядит.

История пастуха Терешки, каким его сыграл Лев Дуров, приводит и к мысли о том, что подлинному, глубинно народному характеру органически чужд деланный пафос, что геройство в часы смертельной опасности может выглядеть даже обыденным, если оно величественно не позой, а самим фактом самопожертвования. Героика в обыденном обличье... В результате возникает цельный и сложный характер русского крестьянина. В нем есть простота и мудрость, лукавая мягкость, терпеливость и внутренняя напряженная сила».

Так что, дорогой читатель, «маленьких» и «простеньких» ролей не бывает. Если к ним отнестись с полной самоотдачей, вложить в них свою душу, они могут запомниться своей самобытностью очень даже надолго. Можно даже забыть, о чем спектакль или фильм, а роль запомнится. Помните Раневскую: «Муля, не нервируй меня»? Уж и название фильма почти все забыли, и о чем он — не сразу скажут, а эту фразу с неподражаемой интонацией Фаины Григорьевны помнят до сих пор, почти полвека.

Кстати, в спектакле «Трибунал» меня однажды хотели разыграть. Известно, что у актеров на сцене существует параллельная маленькая жизнь. Мало того, что они играют на зрителя, они еще и играют между собой. Никак не наиграются!

Так вот, играл я роль немецкого старосты, который работает на партизан, а жена, естественно, об этом не знает и все мне грозит:

— Вот придет Советская власть, тогда посмотришь!

А я, чтоб снять пафос, спрашивал:

— А где твоя Советская власть, где? — И лазил под стол, открывал сундук. Один раз открываю сундук, а там лежит лозунг «Советская власть!» Ребята где-то нашли этот лозунг, отрезали начало и оставили конец. Я растерялся на секунду и оценил. Это остроумный добродушный розыгрыш. Я ценю шутку, но не люблю, когда хотят просто «расколоть» артиста. И главное — публика не должна этого заметить: это не для них — для нас.

Я и сам люблю пошутить. Однажды в «Весельчаках» по ходу действия сестра-негритянка должна была сделать мне укол. Я лег на топчан, снял трусы, а на заднице у меня было написано йодом: «Привет!» Партнерша не дрогнула, и только потом зашла в гримерку и поблагодарила. Так что мой розыгрыш тоже не получился.

Но все равно: пустячок, а приятно.

Вообще говоря, не всегда приходится играть роли людей, близких тебе по духу. Иной раз вползаешь в шкуру такого негодяя, что потом приходится долго отмываться. Тут я как-то буквально за неделю умудрился сняться в фильме «Человек из группы «Альфа» — о том самом особом отряде, которому было отведено чуть ли не главное место в памятном путче. Я играю человека, прямо противоположного мне по взглядам — генерала КГБ, который должен был отдать приказ «Альфе» о выступлении.

Но благодаря съемкам я смог побывать в самой Лубянке! А, согласитесь, свободно и, главное, добровольно войти туда и выйти оттуда удается далеко не каждому. Посидел в бывшем кабинете Дзержинского, даже украдкой полежал на кровати, на которой отдыхал Андропов. Осмотрел внутреннюю лубянскую тюрьму, окно камеры А. И. Солженицына. Было очень интересно, хотя особо восторженных чувств эти места не вызывают.

В фильме «Серые волки» мне предложили роль Анастаса Микояна. Уж, кажется, что у меня общего с Микояном? Но какую-то нашлепочку прилепили, усы приклеили и — все упали! Одно лицо! Так что мой внешний вид подходит для любой роли — от «заваляшшего» мужичонки до Льва Толстого и Анастаса Микояна.

Везет мне на сильных мира сего. То я их играю, то даю им, убогим, пятерку на мороженое, то делюсь одним писсуаром. А вот как-то пришлось даже быть третейским судьей при встрече с Молотовым.

Иду я однажды перед утренним спектаклем по Большой Бронной на почту, чтобы отправить телеграмму. А почта закрыта: сегодня 1 мая. Возвращаюсь в театр и вдруг сзади голос:

— Молодой человек, можно вас на минутку?

Поворачиваюсь и вижу квадратно-круглое розовое лицо с пупочкой носа посередине и на ней пенсне. Синие брюки. А рядом очень похожий на Булганина, но не Булганин, человек в длинном китайском плаще.

— Молодой человек, ну скажите, кто из нас прав. Я ему, старому дураку, говорю: зачем ты напялил плащ в такую замечательную погоду, а он говорит, что сегодня обязательно пойдет дождь. Ну, кто из нас прав?

— Точно сказать не могу,— отвечаю.— Но я на стороне вашего оппонента. Помните, у Гоголя: «А вот в Сицилии бывало пойдешь по улице — солнце, а потом вдруг — дождик. И смотришь, точно дождик».

— Да-а-а! А вы дипломат.

— Так и вы, Вячеслав Михайлович.

— А вы меня знаете?

— Конечно!

— А я вас знаю,— сказал не-Булганин в китайском плаще.—Вы артист Дуров.

— Господи! — всплеснул руками Молотов.— А я смотрю — знакомое лицо!

— Он-то тебя сразу узнал,— съехидничал не-Булганин,— а ты его нет. А его-то все время показывают, а тебя уже сто лет никто не видел, слава Богу. Кто же из нас старый дурак?

— Да ну вас всех, всегда я во всем виноват,— сказал Молотов и пошел вниз по Бронной.

— Ничего, ничего,— сказал не-Булганин.— Это ему полезно. Упрямый, как бык, и самолюбивый.— И, захохотав, пустился догонять бывшего министра иностранных дел великой державы.

Рассказывают, был такой художник Карпов, лауреат Сталинской премии. Он получил ее за то, что в блокадном Ленинграде, когда не было ни красок, ни кистей, умудрился написать цикл из ста картин-карикатур на гитлеровскую правящую верхушку. При этом пользовался большим пальцем правой руки, на котором не остригал ноготь, и печной копотью.

После войны он отошел от политической сатиры и стал анималистом. Так вот этот Карпов рисовал в образе котов представителей всех религий и сект, которые только существуют. И все были узнаваемы без пояснения, настолько тонко он прочувствовал характер каждого представителя. И лишь один образ он так и не смог создать, как ни бился над ним,— образ православного христианина. Он не мог найти в нем ни одной характерной черты — образ был лишен индивидуальности, расплывчат. Не за что было ухватиться: все белое, постно-смиренное, бесконфликтное.

Я понял затруднение художника, когда стал играть положительных героев. Это все равно, что деревья, превращенные в телеграфные столбы. Отрицательные же герои, как правило, имеют четко вылепленный характер, у каждого из них есть своя изюминка, они, наконец, раскованны и в словах и в поступках. Поэтому играть их, конечно же, интереснее.

Когда Нодар Думбадзе предложил мне инсценировку своей повести «Белые флаги» под названием «Обвинительное заключение», меня сразу же привлек в ней богатейший подбор неординарных характеров и судеб.

Судите сами. В камере предварительного заключения ждут завершения следствия и суда девять обвиняемых в различных преступлениях мужчин. Каждый должен понести наказание: за хулиганство, за неумышленное убийство, за попытку к изнасилованию, за злостную неуплату алиментов, за казнокрадство, за спекуляцию кладбищенскими участками...

Кунсткамера, да и только! О каких уж тут положительных образах можно говорить! Убийство, даже если оно неумышленное, остается убийством. И люди, собравшиеся здесь не по своей воле, должны прежде всего сами себе вынести справедливый приговор. По тому, насколько они искренни перед судом собственной совести, можно судить о мере их раскаяния.

Мне как режиссеру важно было найти в каждом персонаже что-то человеческое, часто скрытое от нас за чем-то внешним, наносным. Я пытался разобраться в причинах, приведших людей в тюремную камеру. Меня интересовали мотивы совершения преступления хотя бы потому, что за каждым правонарушителем стоит живой человек, со своим характером, со своей судьбой и со своим отношением к происходящему.

Одни совершают преступление случайно, другие повторяют их неоднократно, но все они остаются людьми, по-разному воспринимающими меру наказания. Что главное в наших героях? В первую очередь, сознание ответственности за свои поступки. И не только после совершения преступления.

Закон есть закон. Нарушил его — неси наказание. Но самое тяжелое наказание для совершившего правонарушение — суд собственной совести. Одних этот суд затрагивает, других, таких, как главный герой пьесы Исидор, он не только заставляет задуматься над своей судьбой, местом в жизни, но и приводит к трагическому концу. Именно поэтому для многих преступников суд совести гораздо суровей справедливого приговора. Я стремился к тому, чтобы зритель переживал вместе с героями, был в той атмосфере, близко к сердцу принимал все нюансы действия. Судя по реакции зала, нам это удалось. А если удалось, то, может, мы кому-то помогли своим спектаклем задуматься над собственной судьбой, поразмышлять над непростыми вопросами бытия.

Говорить о времени и о себе чрезвычайно сложно. И ответственно. Можно выпятить себя и унизить время, а можно и наоборот — себя потерять во времени. А самоуничижение паче гордыни.

Хорошо сказал мой старый товарищ, большой русский писатель Виктор Петрович Астафьев в своей книге «Посох памяти»: «Жизнь состоит из встреч и разлук. И встречи и разлуки бывают разные, как разны и люди, с которыми встречаешься и разлучаешься».

И дальше он пишет о своем учителе — критике Александре Макарове, встреча с которым на Высших литературных курсах и дальнейшая дружба оказали большое влияние на его писательскую судьбу.

«За все годы нашей дружбы он ни об одном — ни об одном! — человеке не сказал дурного слова, не унизил себя поношением и бранью в адрес того или иного литератора. Если человек был ему несимпатичен, он так и говорил, что человек этот ему несимпатичен, но никогда не навязывал мне своих симпатий и антипатий. Он доверял мне самому разобраться в людях...

Да, встреча и дружба с Александром Николаевичем Макаровым осложнила мою писательскую работу. Я стал относиться к ней строже, ответственней и на себя смотреть критичней. И посейчас я каждую строку рассматриваю проницательными глазами Александра Николаевича: выдержит ли она этот взгляд? Улыбчивый, чуть ироничный, как будто совершенно открытый, но с глубокой мыслью и отеческой заботой в глубине».

Перечитал я эти строки и вспомнил один случай. Сидели мы как-то у одного известного режиссера, а он и говорит:

— Дружба — это такое высокое чувство!..

А я возьми и брякни:

— Да нет, дружба — это очень тяжелая работа.

— Какая работа? О чем ты?

— Да-да, работа, или у тебя нет друзей.

Писать о дружбе и друзьях не так-то просто, потому что для каждого человека само понятие «дружба» звучит по-разному и каждый понимает это слово по-своему.

Есть дружба, которая измеряется каким-то душевным порывом:

— Ах, мы так дружим!

Помните? После окончания школы:

— Клянемся, что никогда не будем разлучаться!

Или после института:

— Друзья на всю жизнь! Будем всегда собираться!

Они прекрасны, конечно, такие лицейские порывы. Но, к сожалению, жизнь потом всех разбрасывает, и мы даже забываем имена своих соучеников, а клятвы остаются прекрасными юношескими воспоминаниями.

Я считаю, что дружба измеряется только поступками! У меня не так уж много друзей, но это хорошие, настоящие, верные друзья. И я верю, что они понимают: я по отношению к ним так же ответственен, как и они ко мне.

Никогда ни в чем друзьям не отказывал, даже не представляю, как это сделать. Если кто-то говорит: «Я люблю человечество!», значит, не любит никого. Абстрактно любить нельзя. Твое человечество складывается из близких людей. Можно думать о судьбах мира, можно вторгаться в его историю, любить же можно только близких.

Поэтому я и говорю: дружба — не просто романтическое слово, это довольно тяжкая работа.

Вот звонит мне друг из другого города в три часа ночи: «Лева, ты мне нужен. Прилетай». У меня может быть температура, забот полон рот, безденежье, но я должен лететь. Если другу плохо, я продам последнюю рубашку, если кто купит, и полечу. Я просто обязан это сделать. Со мной самим были такие случаи, и друзья никогда не отказывали мне в помощи.

Однажды я попал в очень тяжелое положение. Мне нужно было вылететь в другой город, а я без денег. Я обратился к товарищам и объяснил им свою ситуацию. Конечно, я понимал, что и они далеко не богатые люди. Но они собрали мне деньги, и я улетел. А потом, задним числом, я узнал, что кто-то продал часы, кто-то куртку, кто-то что-то еще... Вот это дружба!

Как-то со мной произошел дурацкий случай. Позвонил мне Алексей Баталов. А я к нему очень трепетно отношусь. Он один из редких актеров, который сумел сохранить в себе душевную гармонию, интеллигентность. Все, в общем-то, разночинцы, а он аристократ в нашей профессии. И он мне говорит, что есть возможность купить «волгу», а у него не хватает денег. А у меня в это время были на книжке какие-то деньги, и я отвечаю:

— Леша, о чем разговор! Сейчас съезжу, сниму деньги и еду к тебе. Жди!

Только положил трубку — снова звонок. Звонят из магазина «Детский мир»: собрали, говорят, для дочки Кати кое-какие вещи, и их нужно выкупить.

Еду в сберкассу, снимаю все деньги, какие были, и мчусь в «Детский мир». Там мне вручают пакет с детскими вещами, я расплачиваюсь и спускаюсь вниз. И тут чувствую, у меня чего-то не хватает. Ну, конечно! На руке у меня болталась такая маленькая сумочка, которую в народе зовут «педерасткой», с деньгами. И вот ее нет! Мне становится как-то нехорошо. Что делать, где искать? И все же я на всякий случай возвращаюсь к прилавку. Вижу — лежит моя «педерастка», а продавщица спрашивает:

— Это ваш кошелек?

— Мой,— говорю.

— Вот я его стерегу. А там есть деньги?

— Есть.

Расстегиваю сумочку, продавщица заглянула в нее и ахнула. А у меня мысль совсем не о деньгах. Я думал о другом. Что бы я сказал Баталову, если бы приехал к нему без денег? И что подумал бы Баталов? Что я в последний момент раздумал давать ему деньги? Ведь только что звонил: жди, еду! Какой стыд! Какой позор!

Слава Богу, отдал эти проклятые деньги. А он мне говорит:

— Возьми, пожалуйста, расписку. Она лежит под хрустальной вазочкой.

— Леша! — начинаю обижаться.— Ведь мы же с тобой друзья, как я могу взять у тебя расписку? Мы что, уже не доверяем друг другу?

— Возьми, возьми,— говорит он мне.— Мало ли что может со мной случиться.

Вот такой это странный, замечательный человек — Алексей Баталов.

В детстве у меня было очень много друзей: по играм, по дуракавалянию, по дракам. Были и подружки: Наташа Соколова, Марина Мусинян и Неля Горидько. Нас связывала дружба по драмкружку и по катку.

Надо сказать, что каток был самым популярным местом, где собирался весь район. Девочкам нравилось, когда местная шпана говорила:

— К этим девчонкам не приставать: это девчата Седого.

Было у меня среди множества прозвищ и такое. Волосы у меня за лето выгорали, потому мне и дали такую кликуху. Мы здорово катались. Особенно нравилась нам одна шутка. Мы выстраивались в цепочку и гнали по периметру катка. А потом по сигналу разворачивались на девяносто градусов и мчались поперек поля, сметая на своем пути всех встречных. Получалась такая огромная куча мала, и никто не мог разобрать, где у кого руки, где ноги. Стоял гомерический хохот! И ни у кого не было ни злобы, ни обиды. Шутка!

А ведь и в то время дружба ценилась не по чему-нибудь, а только по поступку. Вот началась какая-то заваруха и вдруг кто-то один исчезает: смалодушничал, испугался. Всё! Он для нас был уже потерянным человеком. Ну, чего испугался? Ну выйдешь из свалки с тремя синяками, с вывернутой рукой. Эка невидаль! Всегда надо стоять стенка к стенке, спина к спине. Все дворовые игры ценились только по поступкам и ни по чему больше.

У меня были очень хорошие школьные друзья. Я дружил с Капланом, а у него лицо, как у Сирано, состояло из одного носа, оно как бы перетекало в один огромный нос. И он представлял для всех большой интерес.

Когда мы шли с ним по улице и встречалась какая-то шпана, обязательно кто-то не выдерживал и начинал:

— Ой!..

Продолжить он, как правило, уже не мог, потому что кто-то из нас врезал ему по морде и начиналась свалка. Мы очень часто дрались из-за этого носа, но честь его всегда была защищена. И он так же гордо носил свой огромный нос, как носил его Сирано.

Потом была дружба в Школе-студии МХАТа. Я уже говорил о нашей троице: Горюнов, Анофриев, Дуров. Нас педагоги даже порознь никогда не называли, всегда три фамилии сразу. Студенческие годы были связаны с пирушками, с серьезными моментами и с грустными. Но нашу троицу всегда уважали за верность друг другу.

Потом что же?.. Потом взрослеешь и «Аннибаловы клятвы» остаются легкими приятными воспоминаниями. Конечно, приятно, когда есть надежда на сохранение дружбы. Бывает, что дружба сохраняется на долгие годы. Но в основном жизнь разбрасывает людей и по профессиям, и по месту жительства, и по семейным обстоятельствам. Но все же память о добрых порывах сохраняется и согревает наши души. А с годами появляются новые друзья. Жить без друзей нельзя вообще. Тех, у кого нет друзей, называют «нелюдь». И другого слова они не заслуживают.

Вот у меня был хороший друг — гаишник. Мы подружились, когда я еще не думал ни о какой машине.

Ира Мирошниченко предложила довезти меня на своей машине из Внукова до дома. Едем. Она проскакивает один красный светофор, другой, и я говорю:

— Что ты делаешь?

А она мне:

— Ничего, ничего, все нормально.

Опять проскакивает красный светофор. И я снова прошу ее остепениться.

— Ира, ну что ты делаешь! Ты кончишь плачевно.

И вот гляжу: от тротуара медленно отделяется инспектор ГАИ и пересекает дорогу.

— Вот это теперь за нами,— говорю ей.

— А, ерунда!

— Вот посмотришь.

Смотрим. Останавливает нас этот инспектор и очень вежливо, интеллигентно говорит:

— Знаете, вы уже третий раз проскакиваете на красный свет светофора. Если уж вы не жалеете себя, то пожалейте тех, кто может попасть под вашу машину, кто может столкнуться с вами. Прошу ваши права.

Она подает ему, он смотрит и удивляется:

— О, у вас уже здесь есть дырочка! Придется составить протокол.— И уходит к своей машине.

— Ну, доигралась? — спрашиваю.

Она, видно, думала, что вот ее моментально узнают и все обойдется. Делать нечего, вылезаю из машины и иду к инспектору.

— Что, заступаться пришли? — не поднимая головы, спрашивает он.

— Ну, командир,— говорю,— что тут поделаешь... Женщина!

— А-а,— говорит он мне,— она думает, что артистам все можно? — Поднимает голову и смотрит на меня.— О, Дуров, здорово! Ладно, отдай ей права и скажи, чтобы была поосторожнее, а то она очень уж рисковая.

— Слушай,— говорю,— приходи к нам в театр.

— Да некогда все,— пожимает он плечами.— А, впрочем...

Я дал ему свой телефон. Через какое-то время он позвонил, и я пригласил его на спектакль. Ему понравилось, и он стал частенько наведываться к нам. Ока-

зался очень интересным человеком. Мы дружили с
ним много лет. Попадали в разные интересные ситуации. Всякое бывало. Между прочим, когда я приобрел
машину, он стал моим первым учителем по вождению.
Вот тут уж я выкозюливал! Потом его перевели в другое место, и наша связь прервалась. Но у меня остались о нем самые добрые воспоминания.

Люди, люди, люди... Добрые вы, мои люди. Это же
вы — мои зрители, ради которых я выкладываюсь на
сцене, в кино, на телевидении, потому что не могу обмануть ваши ожидания.

Среди вас есть академики и шоферы, сантехники и
ученые, рабочие, крестьяне и военные. Но я играю не
для специалистов и профессионалов, я играю для людей, которые не потеряли еще веру ни в «чувства добрые», ни в прекрасные человеческие отношения.

Вот у меня есть хороший товарищ Александр Алек-
сандрович Ким. Он не имеет никакого отношения к
искусству. Он руководит строительно-дорожными ра-
ботами. В его распоряжении вся дорожная техника —
самосвалы, грейдеры, катки, и весь его материал —
асфальт, гравий, щебенка, песок...

И этот, казалось бы, сугубо технический человек
оказывается нежнейшей, интеллигентнейшей лично-
стью, тонко чувствующим театралом, не пропускаю-
щим ни одной премьеры! Он мне очень многим помог.
А главное, помог понять своего зрителя. И я ему бесконечно благодарен за все это.

В свое время блистал знаменитый динамовец Лап-
шин. Потом он стал тренером «Динамо». А я в течение
многих-многих лет дружил с его сыном Олегом, который обладал удивительно неуправляемым характе-

ром. Он прекрасно пел, играл на гитаре и был душой любой компании. Абсолютно бескорыстный человек с какими-то разгульными цыганскими замашками. Его то ли дед, то ли прадед был хозяином спичечной фабрики. Спички Лапшина продавались по всей России. Однажды звонит Люся, жена Олега, и сквозь слезы говорит:

— Левочка, Лапша пропал...

— Успокойся,— говорю,— сейчас буду звонить по больницам, по моргам. Найдем твоего Лапшу.

Конечно, нигде я Лапшу не нашел. Не нашла его и Люся. А через неделю она опять звонит:

— Левочка, Лапша нашелся! От него пришла из Кишинева телеграмма: «Играю в Кишиневе деньги выслал целую Лапша».

Как потом выяснилось, шел Олег по улице Горького и повстречал знакомого тренера. Обнялись, поговорили о том о сем, и тренер спрашивает:

— Ну как ты сейчас, играешь?

А Олег в свое время играл в «Динамо», потом получил травму и долгое время спортом не занимался.

— Да нет,— говорит Олег.— Как-то я отстал от этого.

— А поехали ко мне в Кишинев играть?

— Когда?

— А сейчас! У тебя паспорт с собой?

Олег нащупал в кармане паспорт.

— Со мной,— говорит.

— Ну и полетели.

Так он и оказался в Кишиневе. Будто так все и должно было быть.

Другая история была связана с моими поминками.

Поднимаюсь я в метро по эскалатору, и вижу, как на соседнем спускается Люся Лапшина. Когда мы поравнялись, она подняла голову, увидела меня, и глаза у нее стали квадратными. Я думал, она упадет в обморок. И у меня мелькнула догадка. Я показал на себя и спросил:

— Что, умер?

И она кивнула.

А вечером раздается в прихожей звонок. Я открываю дверь и вижу перед собой Олега.

— Ты что, похоронил меня? — спрашиваю.

— Не сердись. Ну, загулял. А когда пришел домой, Люська спрашивает: «Где был?» — «Да подожди, говорю, горе-то какое: Дуров умер. Там дома у него все плачут». Она поверила и тут же заплакала. Поставила бутылку, я выпил и тоже заплакал. Короче, помянули тебя хорошо. А сегодня едет она в метро и видит тебя живого и невредимого! Вот я и приехал отпраздновать твое воскресение. Позволишь?

Ну что делать с таким замечательным человеком!

Есть у меня прекрасный друг Женя Баранов. Он тоже начинал играть в «Динамо». И играл отлично. Бил и с правой, и с левой неотразимым ударом.

Он носил прическу на прямой пробор и всегда бриолинил волосы. И вот, когда он брал мяч на голову, после этого он с ноги срезался, потому что был набриолиненный.

Женя играл в сборной молодежной страны и должен был войти в основной состав. Но тут ему пришла в голову мысль заняться наукой.

Он закончил Московский авиационный институт и вот уже много лет занимается космическими делами.

Лауреат Государственной премии, имеет множество правительственных наград. Человек удивительной доброты и необыкновенной верности. Мы до сих пор дорожим нашей дружбой.

Не забуду случай, который с нами случился однажды в автобусе. Был час пик, на остановке образовалась толпа, нас с Женей разъединили, и мы вошли с разных площадок. Еду, сжатый со всех сторон, и вижу, как один щипач, а попросту — карманник, лезет к даме в сумку. Я взял его за руку и говорю:

— Я думал, после войны уже перестали этим заниматься.

А он:

— В чем дело?! Что такое?! — Шум поднимает.

И тут ко мне притискиваются еще двое. И давят на меня:

— Ты что?! Ты кто?!

Известные воровские штучки. Вот они прут на меня, а женщина молчит, боится рот открыть. Женя услышал шум и кричит мне от передней двери:

— Лева, что там такое?

— Да вот карманники! — кричу.— Хотят со мной поговорить!

И с моим другом что-то случилось. Я это понял по его голосу, каким он вдруг закричал:

— Водитель, останови машину! Открой двери!

Тот останавливает автобус, Женька врывается в заднюю дверь, хватает одного, другого — а те здоровые парни — и кричит:

— Ты с кем разговариваешь?!

И со страшной силой вышвыривает их из салона. Третий не знает, куда деваться, и начинает дергаться.

— Тоже хочешь этого? — зловеще спрашивает его Женька.

— Нет! Нет! — верещит неудачливый щипач и каким-то чудом выпрыгивает из салона.

А я прекрасно знал: если бы с ним самим так разговаривали, он бы даже не повысил голос. Но тут была задета честь его друга, и он потерял самообладание.

Собственно, у меня такой же характер. Когда со мной кто-то разговаривает и начинает хамить, я могу и простить это хамство. Но когда кто-то хамит моему товарищу, меня начинает знобить, и я не сдерживаюсь. Здесь я действительно могу растерять все рули. Наверное, так и должно быть. Друг есть друг. Как говорили когда-то на Руси: положи за други своя живот свой.

А как не написать о моем прекрасном товарище Саше Ворошило! Дружу с ним уже много-много лет. Выдающийся баритон, Саша пел на лучших оперных сценах всего мира. Его разрывали на части лучшие оперные театры всех стран.

А потом случилась беда: у него пропал голос. Страшно! Он, конечно, безумно переживал, но не отчаялся, не запил. В этой, казалось бы безвыходной, ситуации и проявилась его настоящая человеческая натура. Он просто стал искать выходы из этой ситуации. И нашел! Он занялся предпринимательством и добился в этой области таких успехов, что однажды правительство обратилось к нему с просьбой открыть школу предпринимательства.

Вот так свой человеческий талант Саша смог применить в другом деле. Почему? Да потому, что у него ко всем было самое доброе отношение, для всех была улыбка. Он просто всех любит.

Были у него и сложные ситуации, и неприятности, но он всегда относился к ним с олимпийским спокойствием. Машину у него угнали. Я попытался ему посочувствовать, а он и говорит:

— Ну что поделаешь, Лева! Не я первый, не я последний. Конечно, противно все это...

Я не помню, чтобы он хоть раз потерял самообладание. Удивительно верный товарищ. И я горжусь тем, что у меня есть такой близкий мне человек, которому я могу в любое время позвонить, поехать к нему, чтобы поговорить, послушать записи с его исполнением. Да с таким человеком приятно просто посидеть вместе и помолчать...

Вот как ни странно, а в самом театре друзей у меня не так уж и много. Дружил и продолжаю дружить с Володей Качаном. Мы с ним старые знакомцы. Он играл у меня в спектакле «А все-таки она вертится». У Володи там была одна из его любимых ролей. Они играли в паре с Герой Мартынюком: Володя играл директора школы, а Гера — фальшивого папу. Дело в том, что мальчик, которому директор велел прийти в школу с отцом, вместо папы прислал знакомого сантехника.

Это была маленькая сцена в спектакле, но она сама превращалась в целый спектакль. Я стоял за кулисами, и у меня слезы текли от хохота. А что делалось в зале!.. Если бы эту сцену ставили на эстраде, уверен — она имела бы оглушительный успех.

Володя всесторонне талантливый человек. Он пишет песни, которые сам же и исполняет. Сейчас вот написал роман, и дай Бог ему удачи на литературном поприще. Мы с ним можем обращаться друг к другу за советом или помощью в любое время суток.

Сейчас я вспомнил историю, связанную с Михаилом Аркадьевичем Светловым. Однажды ночью он написал стихотворение и ему захотелось сразу же почитать его своему другу. И он позвонил этому другу.

— Хочу,— говорит,— прочитать тебе стихотворение, которое я только что написал.

— Миша,— пришел тот в ужас,— ты посмотри на часы: три часа ночи!

— А я думал, что дружба круглосуточна,— с горечью сказал Светлов и повесил трубку.

И больше он с этим «другом» не разговаривал. И имел на это полное право, потому что сам был готов прийти на помощь к любому человеку, который в этом нуждался.

Рассказывают такой случай. Как-то летом в ночную пору дежурный милиционер на Савеловском вокзале увидел выходящего из-за палаток странного человека. На нем были добротные ботинки, отутюженные брюки и майка, милиционер поторопился к нему и спрашивает:

— Вас что, ограбили?

— Нет.

— А где же ваша рубашка?

— Отдал.

— Кому?

— Там один несчастный человек стоял в одной рваной майке. Мне его стало жалко, и я отдал ему рубашку.

— А как же вы сами поедете домой?

— А у меня тут друг недалеко живет, он мне даст что-нибудь.

А как я могу не написать о моем замечательном друге Мише Евдокимове! Я его очень высоко ценю как актера и считаю, что он открыл новый жанр на эстраде — личного деревенского рассказа. Я был на нескольких его концертах и видел, что творилось в зале, когда он выступал. И сам получал огромное удовольствие.

Потом я снимался с ним в двух картинах: «Не валяй дурака» и «Не послать ли нам гонца?»

Он из тех людей, которых я называю добротными: добротный человек! Он сам по себе мощный, грандиозный, красивый алтаец. И бескомпромиссный. Этот мягкий и добродушный человек становится жестким, когда что-то принципиально не приемлет или встречается с трусостью и жлобством. Я долго уговаривал его:

— Миша, давай перейдем на «ты».

— Ну что вы! — отнекивался он.— Вы старше меня, и потом я вас так уважаю!..

Все-таки я его заставил перейти на «ты». Теперь мы друг друга называем «братанами». Думаю, это звание тоже неплохое — как-никак породнились.

Удивительный человек! Мне всегда доставляет большое удовольствие каждая встреча с ним, люблю слушать по телефону его голос. Он никогда ни о чем не просит, и если звонит, то спрашивает только об одном:

— Братан, как дела?

И у меня уже тепло на душе.

Еще раз хочу подтвердить свои слова о том, что дружба —трудная работа.

Есть у меня замечательный друг академик Александр Лагуткин. Он занимается связью. Понятно, что ученый постоянно занят, и у него нет ни минуты свободного времени.

И вот понадобилась тут одному не очень здоровому человеку помощь, связанная с квартирным вопросом. У него маленькие дети, а халупа, в которой он живет, совсем развалилась. Ему из года в год обещают квартиру, и этим обещаниям нет конца. Я позвонил Лагуткину, объяснил ему суть дела и извинился, что отвлекаю его.

— Левочка,— сказал он,— нужно? Значит, едем.

И мы поехали — Лагуткин, Евдокимов и я — по чиновникам в какой-то подмосковный район. Ну какого академика в наше время можно оторвать от всех дел, попросить сесть в машину и ехать куда-то, чтобы помочь совершенно незнакомому человеку!

А ведь встречаемся мы редко, но когда встречаемся, такое ощущение, что никогда и не расставались. Знаю его очень напряженные рабочие дни, но если возникнет нужда, я опять обращусь к нему за помощью, и верю, что он никогда не откажет.

Вот написал я эти строки и зазвонил телефон. Снимаю трубку и слышу голос Лагуткина:

— Левочка, я слышал, ты кашляешь. Я здесь купил мед и подобрал кое-какие лекарства. Еду к тебе.

Вот вам и дружба: тяжелый труд или высокая материя? Слова участия, конечно, могут в какой-то мере утешить, но не более того. Помочь же человеку в трудный момент может только поступок — действенный и бескорыстный. Товарищеский.

Я заболел и попал в больницу. Заведение не самое лучшее среди других. Человек здесь начинает задумываться над жизнью и смертью. Часто из палаты не уходят своими ногами — их увозят. Совсем. Под простыней, на тележке с маленькими колесиками.

И тут я встретил замечательных людей, которых теперь считаю своими друзьями: профессора Владимира Семеновича Работникова, Бронислава Драголюбовича Богуновича и Михаила Михайловича Алшибая.

Я понял, что они относятся ко мне не как к артисту. Глупость! Просто у них невероятное человеческое отношение ко всем людям. Они идут на операцию, как на необычайно ответственное дело: ведь в их руках жизнь человека!

Я могу бесконечно говорить об этих прекрасных людях, и у меня не хватит все равно слов благодарности. Я просто счастлив иметь их в числе своих самых близких друзей. Хотя, честно говоря, лучше не обращаться к ним за помощью, а просто оставаться друзьями. Больница — слишком серьезное заведение...

Я уже упоминал о своем прекрасном товарище Юрии Владимировиче Никулине. Прошло какое-то время после того, как он вызвал меня в Президиум Верховного Совета за получением ордена Трудового Красного Знамени, и меня приглашают в дирекцию театра. Там мне вручают шикарный конверт — весь в штемпелях и печатях. Вскрываю и вижу отпечатанное на машинке письмо на английском языке. Нашел переводчика, и тот мне перевел, что фирма «Парамаунт» приглашает меня в фильм «Пятеро». И что из советских артистов предлагают сниматься еще госпо-

дину Никулину. С американской стороны участвуют
Пол Ньюмен и еще какой-то популярный артист. Я
сразу все понял и позвонил Никулину.

— Владимирыч,— сказал ему,— больше ты меня
не купишь. Кончай свои розыгрыши.

— Ты о чем? — спрашивает.

— О письме из Голливуда.

— Значит, ты тоже получил? — радуется Никулин.— И мне прислали. Не веришь? Сейчас я к тебе
Макса с этим письмом пришлю.

Приезжает его сынишка и передает мне точно такой же конверт, в котором лежит письмо с переводом.
В нем сказано, что господину Никулину предлагают
роль в фильме «Пятеро», и что из советских артистов
предлагают еще роль господину Дурову и т. д. Звоню
Никулину.

— Юра,— говорю,— извини. А я думал, ты разыг-
рываешь. Ну что ж, поедем, научим их, как надо работать.

Проходит неделя, никто не интересуется моими свя-
зями с США, и министерство культуры молчит. Звоню
Никулину.

— Владимирыч,— говорю,— ты чего-нибудь получал еще оттуда?

— Нет.

— Тогда,— говорю,— ну их к черту! А то дома
уже все волнуются, когда дед поедет, чего-нибудь
привезет.

— Не поедем,— соглашается Никулин.

— Не поедем — пусть прозябают.

Никулин помолчал немного и спрашивает:

— У тебя конверт далеко?

— Вот он,— говорю,— на столе.

— Возьми его в руки.

Я взял.

— Там есть большая треугольная печать? — спрашивает.

— Есть.

— Прочти, что на ней написано!

— Так там же по-английски.

— Но буквы-то ты знаешь, вот и читай.

Я читаю. А там написано: «Счастливого пути, дурачок!»

А познакомился я с Юрием Владимировичем, когда он был еще подставным в цирке. Подставной — это свой человек. Когда артисты с арены приглашают кого-нибудь из публики, подставной тут как тут, и вот с ним начинают валять дурака. Однажды я задал Никулину, уже известному артисту, вопрос:

— А ты знаешь, какой самый смешной номер был у тебя в цирке?

— Конечно,— сказал он, не задумываясь.— Когда я был подставным.

Он это прекрасно помнил. А меня лишь при одном упоминании этого номера охватил приступ смеха. Я хохотал ужасно, до колик. А тогда весь цирк не только сотрясался — он просто выл!

Это был общественный просмотр с новой цирковой программой. Собрались артисты, режиссеры, работники культуры — ведь все любят цирк. И вот отъездили туркменские наездники в белых папахах и стали вызывать кого-нибудь из публики:

— Кто хочет стать артистом? Ты хочешь? Ты?

Все, конечно, упираются. И тут поднимается какой-то парень. Вид у него был чудовищный: засаленный

бушлат, кирзовые сапоги, из-под застиранной ков-
бойки выглядывала рваная тельняшка, мичманка со
сломанным козырьком. Этот портрет во всех деталях
я помню до сих пор. Как будто он сейчас стоит передо мной.

Рядом с ним сидела его жена. Как потом я узнал,
это действительно была жена, Никулина Татьяна. Она
была одета так, как одевались все тетки в ту пору:
замотанная платком и с огромной авоськой с апельси-
нами и колбасой. Она дергала супруга за рукав и ру-
галась:

— Куда поперся? Какой артист? Сиди на месте!

А он шевелил губами и все понимали, что мужик
матерится. И вот, озираясь по сторонам, выходит на
арену.

Конечно, если бы это был не Никулин, не было бы
и никакого эффекта. Когда он вышел на арену и в
ужасе стал смотреть на зрителей своими испуганны-
ми собачьими глазами, постепенно начал нарастать
хохот.

Потом его пытались посадить на лошадь, но он пе-
рекидывался через нее и падал лицом в опилки. Его
сажали с другой стороны — он снова переваливался и
падал. Ему что-то попало в рот, он вытащил и долго-
долго внимательно рассматривал. Опять жевал. А
Татьяна кричала:

— Жуй, жуй — это из лошади!

Началась просто истерика — цирк выл! А когда его
все-таки посадили, да еще задом наперед, и лошадь
поскакала, он схватил ее за хвост и прижал его к груди. И вот сочетание растерянного Юриного лица и не-
обыкновенно чистой розовой лошади убило весь цирк.
Потом с его ноги сваливался сапог и начала размату-

ваться длинная разноцветная портянка. Его выдергивали из седла лонжей, роняли, и он опять падал в опилки.

Цирк уже выл, все сползали с кресел, издавали какие-то нечленораздельные звуки, хрюкали. Напротив меня сидел в ложе Михаил Иванович Жаров. Я и не мог представить, что он такой смешливый. Он чуть не вываливался из ложи, смеяться уже не мог и только хрюкал и почему-то всему цирку показывал пальцем на Никулина, будто кроме него его никто не видел. И все орал:

— А-а! А-а! А-а!

У меня часто случается такое. Рассказываешь в гримуборной о ком-нибудь, и в этот момент входит тот, о ком я рассказывал. В таком случае я обязательно говорю:

— Ну что вы! Он такой идиот! — И мгновенно наступает тишина.

Вот и в цирке такое случилось с Жаровым. Вдруг между приступами хохота наступила секундная пауза, и Жаров на весь цирк заорал:

— Ой, я описался!

Наконец измотанный Никулин покидал манеж, пробирался к своей супруге, она колотила его авоськой с колбасой по голове, и они убегали.

Во время антракта началась давка у туалетов. Никто не разбирал, где женский, где мужской. Все лезли друг на друга, орали:

— Пусти, я не могу!

Это было что-то страшное.

Когда мы выходили из цирка, я оказался рядом с Марией Владимировной Мироновой и Александром Семеновичем Менакером. И Миронова все говорила:

— Саша, Саша, не смотри на меня, не смотри!

А у меня после этого целый месяц все болело: не мог ни кашлять, ни смеяться.

Спустя много времени мы с Андреем Мироновым играли в спектакле «Продолжение Дон-Жуана». И вот опустился занавес, и Андрей мне говорит:

— Сегодня день моего рождения. Поехали ко мне.

Приехали. И мы с Марией Владимировной вспомнили о том цирковом представлении.

— А-а! — закричала она и выскочила из комнаты.

Потом вернулась и сказала:

— Левочка, разве можно такое напоминать? У меня даже живот судорога свела.

Все началась с дурацкой шутки. Я шел за кулисами и вдруг у меня перед носом распахнулась дверь репетиционного зала и из него выскочил Станислав Любшин, а за ним, с веником в руках, Олег Даль.

— Ах ты, мерзавец! — кричал Олег.— Он не помнит! Вот я тебе всыплю, так ты сразу вспомнишь! Негодяй!

Не раздумывая, я выхватил веник у него из рук и завопил:

— Ты чего орешь?! Чего ему вспоминать?! Я тебе сейчас так врежу, что ты сам все на свете забудешь! Понял, сукин сын?!

И замахнулся на него веником. Олег бросился от меня бежать, а я, не переставая ругаться, за ним, пытаясь достать его веником. Мы выбежали на большую сцену, сделали круг и влетели в другую дверь репетиционного зала, продолжая играть начатый этюд. В зале начался хохот. Наконец, я выдохся, бросил веник и предупредил Олега:

— Еже раз повысишь голос — убью!

Я вышел. За моей спиной продолжали хохотать, и громче всех смеялся Эфрос.

— Ду-ра-ки! Вот дураки!

— Да не дураки, Анатолий Васильевич! — возразил кто-то.—Вот так надо играть, а мы, как дистрофики...

А через несколько дней ко мне в гримуборную заглянул Эфрос.

— Любшин уходит из театра,— сказал он.— А мне не хочется бросать работу. На, быстро прочитай, и сам все поймешь.— И он положил на стол рукопись.

Это была пьеса Эдварда Радзинского «Продолжение Дон Жуана».

Содержание ее вкратце таково. Откуда-то из другого измерения на землю спустился Дон Жуан. Он же Овидий, он же Парис, он же Казанова, он же... Такой обобщенный образ великого обольстителя всех времен. И он ищет своего слугу Лепорелло. Наконец, находит и назначает ему по телефону свидание — ночью на пустынной площади.

Но Лепорелло уже и не Лепорелло, а Леппо Карлович Релло, деловой человек, фотограф из ателье. А заведует этим ателье Иван Иванович Командор, у которого красивая жена Анна, Дона Анна.

Дон Жуан и Лепорелло встречаются, и бывший слуга делает вид, что не узнает этого гражданина, никогда не знал и знать не хочет. А Дон Жуану необходимы воспоминания, ему хочется вспомнить всю свою жизнь. А заодно заставить и слугу вспомнить свою. Лепорелло упорствует — ему совсем не хочется снова возвращаться «туда». Он прекрасно освоился здесь, на земле. Он человек дела, и ему здесь хорошо. Да, он и тут подчиненный, но ведь это совсем другое дело!

И тогда Дон Жуан пощечинами и затрещинами напоминает ему, что он слуга и должен слушаться своего господина и повиноваться ему. Лепорелло сломлен и начинает вспоминать все любовные истории Дон Жуана. Но, странно, обольститель помнил лишь глаза, объятия, тайные встречи, страстный шепот. Но не помнит, а скорее, не хочет вспоминать удары своей шпаги, стон умирающего соперника, горе обманутых отцов и мужей, кровь.

«Я убил?! Разве?! Не помню, не помню!» И Лепорелло понимает, что это уже не тот Дон Жуан. Это уже не тот хозяин, требования которого он безропотно выполнял, перед которым трепетал от страха. В нем осталось только романтическое начало! Он не боец — он поэт. Он слаб. А значит...

И Лепорелло начинает действовать. От его наглости умирает, хватаясь за сердце, Командор. Дона Анна становится женой этого Релло, а Дон Жуан — его слугой. Человек дела побеждает! А как же иначе? Деловые люди хозяева жизни, а не эти восторженные хлюпики. Вот такая история.

Звоню Анатолию Васильевичу.

— Замечательная пьеса! А кто кого играет?

— Ну, ты — Лепорелло, Дона Анна — Ольга Яковлева, Командор — Леня Каневский, Проститутка — Лена Коренева. А кто Дон Жуан, не знаю. Думай.

Начинаю думать, перебирать в памяти актеров — все не то! А через два дня Эфрос подходит ко мне и говорит:

— Левка, я придумал — Андрей Миронов! Я ему уже передал пьесу. Ну, как?

— Да уж лучше не придумаешь,— говорю.— Только бы он согласился.

— Да он согласился не читая! Давно, говорит, хотел с вами встретиться.

А через несколько дней мне позвонил Андрей.

— Лева,— говорит,— это я — Миронов. Очень рад, что мы будем работать вместе. Только почему-то Эфрос вызывает меня одного. Я у него спрашиваю: «А где Дуров?» А он отмахивается: «Я его позже вызову. Он все знает». А что ты знаешь?

— Да ничего,— говорю,— я не знаю. Просто Эфрос хочет привыкнуть к тебе, и чтобы ты тоже привык к нему.

И, наконец, мы встретились все вместе. У меня было такое ощущение, что мы работаем с Андреем давным-давно. Репетиции проходили весело, мы валяли дурака, импровизировали.

— Все правильно, ребятки,— говорил удовлетворенный Эфрос.— До премьеры.

— Нет, Анатолий Васильевич,— возражал Андрей.— Давайте еще раз. Я хочу закрепить.

Мы повторяли сцену, и снова Эфрос хвалил нас. Но Андрею все было мало.

— Давайте еще повторим,— просил он.

Иногда мы одну и ту же сцену повторяли много раз. Андрей вкалывал по-настоящему, въедливо, кропотливо. Он выверял каждую мизансцену, каждую реплику. Часто мы заканчивали репетиции мокрые и выпотрошенные. Кажется, все, до завтра! Но Андрей снова просил:

— Анатолий Васильевич, давайте поговорим. Я хочу кое-что уточнить.

И так — каждый день. Он фиксировал все нюансы, родившиеся на репетиции, многое записывал. А перед следующей репетицией заглядывал в свою тетрадочку, сверяя по записям игру.

Это уж я потом узнал, что он тяжело болен. У него был жуткий фурункулез. Играл он бесподобно, с полной отдачей, не щадил себя. А после спектакля, когда переодевался в гримуборной, у него вся рубашка была в крови...

Когда мы играли, я забывал, что это больной человек и что к нему следует относиться очень бережно. Да нет, не забывал! Он своей игрой заставлял забывать, что он болен. И всем своим поведением давал понять: «Вот у меня-то и ничего нет! Это у вас могут быть какие-то болячки, а у меня как раз все в порядке и ничего не может быть».

Приближалась премьера, начались прогоны. Мы уже окончательно притерлись друг к другу. А Андрей на каждой репетиции все что-нибудь прибавлял, начинал вязать свои «мироновские» кружева.

По ходу пьесы я накрывал стол проголодавшемуся Дон Жуану. Вынимал из кармана банку консервов, открывал ее и ставил перед Андреем. Он долго рассматривал содержимое, осторожно пробовал и спрашивал:

— Что это?

— Мелкий частик в томате,— валяя дурака, отвечал я.

— И вы это едите?

— Давайте я уберу.

— Ты что? Пошел вон! — орал он на меня.— Я ничего подобного никогда не ел!

И на глазах у публики с завидным аппетитом, восторгаясь и причмокивая, съедал всю банку. Незатейливая находка, но он играл эту сценку с таким изяществом, и у него в это время были такие наивные детские глаза, что зрительный зал взрывался аплодисментами.

А в финале он всех потрясал. Там повторялась сцена, которая была в начале, только теперь хозяином был Лепорелло. Надо было видеть трагические глаза Андрея, в которых затаилась мольба: «Не надо бить меня...»

Сломленный, подавленный Дон Жуан поднимал с пола портфель и покорно шел какой-то шаркающей старческой походкой за Лепорелло, который победоносно вел под руку теперь уже свою Дону Анну.

Премьера прошла прекрасно. Маленький зал (спектакль шел на Малой сцене), вмещающий всего восемьдесят человек, был забит до отказа. Зрители сидели в проходах на полу. И никто не роптал и не жаловался на тесноту. А ведь помимо обладателей билетов в зале было еще не менее шестидесяти человек! И так каждый спектакль.

А однажды прибежал взволнованный директор.

— Ребята, что делать? Там приехала целая группа космонавтов. Стоят у служебного входа. Спрашивают вас.

Мы с Андреем побежали вниз. За стеклянной дверью толпились народные герои, для которых тогда все двери были открыты настежь.

— Дорогие товарищи,— говорим,— зал забит до отказа. Не выгонять же кого-то из зрителей!

Нас, кажется, поняли. В дверь протиснулся один Гречко. Остальные посмеялись и ушли. А после спектакля к нам зашел мрачный Гречко.

— Что,— спрашиваем,— спектакль не понравился?

— Да нет,— говорит,— спектакль блестящий и играете вы лучше некуда. Только как мне домой возвращаться? Жена-то моя за дверью осталась.

Мы позвонили ему домой, извинились перед ней и пригласили на следующий спектакль. А она все смеялась:

— Надо же — жену забыл! Ну, получит он у меня!

А на одном из спектаклей появился известный американский продюсер Пап. Ему тоже не нашлось места, и для него поставили стул, чуть ли не у нас на носу. Такого зрителя мы еще не видели. Он, не умолкая, хохотал во все горло, аплодировал, не жалея ладоней, сползал на пол, держась за живот, и все время апеллировал к зрителям, как Жаров в цирке: мол, вы видите, что происходит?

А после спектакля Пап пришел в гримуборную Андрея. Обнимал его, что-то восторженно выкрикивал, вытирал слезы. И тут же заявил, что приглашает нас в гастрольное турне по всем столицам Европы, а потом по Америке.

Тогда мы подумали, что он говорит это для красного словца, от избытка чувств. Но через несколько дней действительно получили от него официальное приглашение. Конечно, мы обрадовались, но радость наша оказалась преждевременной. Заместитель министра культуры заявил, что с этой антисоветчиной мы поедем за границу только через его труп. Он остался жив, и мы никуда не поехали.

До сих пор не могу понять, какое отношение имели Дон Жуан и Лепорелло к советской власти.

А однажды Андрей зашел ко мне в гримуборную и сказал:

— Дай прежде слово, что ты у меня не отберешь то, что я тебе сейчас покажу.

— Конечно, даю.

— Ведь ты даже не знаешь, что очаровал всех парижанок.

И он положил передо мной роскошный темно-зеленый буклет с золотым тиснением. Это оказалась программа нашего турне по Европе. В ней говорилось, что маленькая блестящая труппа во главе с выдающимся режиссером Эфросом триумфально закончила свои выступления в Париже и отправляется в Стокгольм, где ее ждет не меньший успех. Дальше упоминались Осло, Западный Берлин и т. д.

— Что это? — спросил я.

— Что видишь. Пап был абсолютно уверен в нашем успехе и заранее напечатал этот буклет. Он звонил мне из Европы, и я объяснил ему, что нас не выпускают. «Что они делают?!» — закричал он и, кажется, заплакал... Идиоты! — И Андрей вышел, хлопнув дверью.

Эфрос не пропускал ни одного спектакля. Он нервно ходил за кулисами и ждал нас.

— Ну как? — задавал он всегда один и тот же вопрос, и Андрей каждый раз отвечал:

— Я играл блестяще, и Левка мне не мешал. Да все хорошо, Анатолий Васильевич, не волнуйтесь. Но, если честно, ваш Дуров мне играть не дает: тянет одеяло на себя. Что поделаешь — ваша школа!

И мы, обнявшись, шли разгримировываться. А Эфрос улыбался нам вслед:

— Ду-ра-ки!

Это был спектакль общего счастья. Я не знаю, сколько раз прошел «Дон Жуан». Цифра все равно ничего не скажет. Просто он был!

Я думаю, что роль Дон Жуана — одна из лучших работ Андрея Миронова: сплав его звонкого, хрустального, полетного таланта и трагизма, о котором постоянно говорил Анатолий Васильевич.

Да, это была одна из лучших его ролей.

Не знаю, кто придумал циничную формулировку *«незаменимых людей нет»*. Такого не может быть! Каждый человек незаменим. Даже сварливый для тебя сосед, который говорит тебе гадости или пишет под дверь — незаменим. Когда он умрет и появится новый сосед, он покажется тебе скучным, и не поругаешься с ним толком. Будешь жалеть о том, который ушел, потому что он был неповторим.

Всё, квас уехал!

Это моя любимая поговорка. Когда ситуация безысходная, когда что-то или кого-то теряешь, я говорю: «Квас уехал!» Появилась эта поговорка довольно неожиданно. Я очень люблю квас. А у нас рядом с домом всегда стояла бочка с квасом. Однажды, проходя мимо бочки, захотел купить домой квас. Поднялся наверх, взял бидон, спустился и увидел, что вместо той бочки висит объявление «КВАС УЕХАЛ». Мне так понравилось это абсолютно безысходное объявление, пожалуй, даже страшнее, чем в метро написано: «ВЫХОДА НЕТ». Здесь еще, может быть, выход и найдешь, а вот когда «квас уехал», то ничего трагичнее в своей жизни я не знаю.

Каждый день я прихожу в Театр на Малой Бронной, захожу в репертуарную контору и встречаюсь с Григорием Моисеевичем Лямпе. В конторе — его портрет. Нет, не в память, а просто без него нельзя,— он здесь, он всегда был здесь и будет. Он незаменим.

У него было три имени: Григорий Моисеевич, Гриша и Гриня. Я имел право и честь называть его всеми тремя. Официально, за кулисами и в жизни.

Если кто запамятовал его лицо, напомню: в фильме «Семнадцать мгновений весны» он играл роль профессора Рунге.

Его все любили и продолжают любить. Спросите сейчас любого актера любого театра о Лямпе, и он скажет о нем самые замечательные слова. Гриша был не только замечательным актером, он еще и заведовал труппой. Сложная и неблагодарная должность. Заведующий распределяет роли, следит за участием каждого актера в спектаклях, дает возможность артистам подработать на стороне и т. д. и т. п. Сложнейшая диспетчерская должность.

Заведующего назначает директор, но выдвигается он из своей среды самой труппой. А выдвигают, конечно же, того, кому артисты полностью доверяют. Не знаю, был ли где лучше заведующий труппой, чем Григорий Лямпе. Его труппа была как бы филиалом ТВ. У него постоянно в каждом зальчике шли репетиции телеспектаклей. Он для всех находил работу.

И вот однажды он мне заявляет: «Уезжаю в Израиль». Я был страшно огорчен, потому что такой добрый, справедливый человек в наше время не такая уж каждодневность — это редкое явление.

Он уехал. И я думал, что больше мы никогда не увидимся: какой ветер занесет, какие пути заведут меня в эту страну? Но так случилось, что я уже четыре раза был там на съемках фильма «Мастер и Маргарита».

Я прилетал и звонил.

— Гриня! Это я, Левка!

— Ты откуда?

— Из Тель-Авива. Я прилетел с кино. Я в гостинице...

— Какой гостинице?! Ты что, спятил? А ну, быстро к нам!

— Гриша, да у тебя и так... Я же знаю, кто бы ни приехал — и все к тебе.

— Все?! Ты мне кто — все?! Да я и слушать не хочу! Катя, скажи ему...

Трубку берет его жена Катя и спокойно, но властно:

— Левчик, а ну-ка быстрей!

А потом дочь Алена:

— Дя-дя Ле-е-ева, как я рада!

И сам не знаю, кем я был у них: дядей, племянником, дедушкой? Но я был родным. И гордился этим.

И вот я опять в их доме, и мы говорим, говорим, говорим... И вспоминаем, вспоминаем, вспоминаем...

Я видел его в двух спектаклях театра «Гешер»: в «Идиоте» и в спектакле о Катастрофе. Он играл блестяще! А потом он приехал в Москву и показал отснятый на кассету свой бенефис. Это был вечер большого гордого Мастера. С прекрасным, но очень грустным финалом. Как предчувствие... Кто знал, что это — итог...

Но весть о том, что Гриша лег в больницу, никто не воспринял как большую опасность. Кто не ложился! Как у всякого пожилого человека, у него был набор всяких болячек. А медицина... Не уверен, что она лучше нашей. Может быть, аппаратура лучше. А специалисты-то почти все наши работают.

Я написал ему в больницу письмо:

«Ну вот, стоит мне уехать, и ты сразу начинаешь откалывать номера: что мне, совсем поселиться в Израиле?

Гриня, я тоже сыграл генерала Иволгина и неплохо. Не подвел тебя. Выйдешь из больницы, и давай ко мне на дачу под Загорск. Не так жарко, как у вас, и сельмаг рядом».

И в ответ получил письмо, наверное, одно из последних его писем:

«Друг мой! Вот видишь, как получилось: стоило, действительно, тебе уехать, как я заболел. И заболел серьезно. Насчет «Идиота» я очень рад. Я не сомневался, что ты превосходно сыграешь. Я ведь сыграл своего Иволгина, абсолютно памятуя и видя тебя: твоего Снегирева, твоего Чебутыкина.

Твое приглашение отдыхать у тебя в Подмосковье тронуло меня. Я его не исключаю, если Бог даст сил и здоровья.

У меня тоже нет большего друга, чем ты. Обидно ведь: «Современник» здесь, а я в больнице. Пишет Алена, я диктую. Твой Гриша».

А потом я узнал, что Григорий Моисеевич умер. Это был для меня сильный удар.

В свой последний приезд в Израиль я пошел к нему на могилу. Кладбище. Пустыня. Невероятно палящее солнце. Пыль. И среди одинаковых камней стоит его камень, на другой стороне которого на русском языке написано: «Актер Григорий Лямпе». Я посидел на могилке, поговорил с ним.

Вспомнил, как в предыдущий приезд я не предупредил его, что прилетаю. Мне не хотелось его беспокоить, стеснять. Но очень хотелось увидеть.

Поднялся к нему на этаж, позвонил. Гриша открыл дверь и — «ах!» А я говорю: «Гриша, я в прошлый раз у тебя кепку забыл. А вот уже осень наступает, и я прилетел за ней». В коридоре незаметно вынимаю из-за пазухи кепку и делаю вид, что снимаю с полки. Надел, выскочил за дверь, спустился вниз, и с балкона услышал его голос: «Сво-оло-очь! Него-о-одяй! Где живешь?!»

Я ему крикнул, что в Москве увидимся. Не увиделись...

И вот я захожу в репертуарную контору и вижу на портрете лицо прекрасного актера, прекрасного человека, прекрасного друга. Он внимательно смотрит на меня своими добрыми грустными глазами. И я говорю ему: «Не грусти, Гриня. До встречи».

Несколько слов о драматургии Василия Шукшина.

Шукшин очень труден для постановки в театре. Я не видел ни одного точного, с моей точки зрения, спектакля по его произведениям. Все как-то рядом, все не до конца. В чем же дело? Мне кажется, что его воспринимают не глубинно, а поверхностно, превращая часто в балаган то, что является болью его, мукой. «Энергичные люди» даже Товстоноговым были поставлены как комедия-фарс.

Как же понимаю я?

«Энергичные люди» — это драма. Драма людей, пришедших к полной бездуховности. Пьянки и бешеные деньги стали их нормой поведения и моралью. Это не жизнь — суррогат. Всё сместилось. Веселье? Собеседования?! Это тупые игры в перелеты и механическая «летка-енка». Тупость! Заполнение времени пустой вздрючкой, экзальтацией. Нет мыслей, нет идей, нет любви. Существование, близкое к животному. Еще один шаг и — му-у-у-у!

Шукшин даже лишает их имен. Бездуховность делает их безликими, однозначными, похожими друг на друга. Нет — внешние приметы есть: курносый, лысый, брюхатый... Они и говорят-то на одном нивелированном языке.

У них фактически нет прошлого. Оно стерлось. Кто кем был? Хоть слово о детстве, о маме! Нет. Только перед самым финалом кто-то вспомнил, что была у них большая семья и что младшие донашивали вещи старших. Но это сквозь туман времени. Какой-то дрожащий призрак, мираж. Нет памяти, нет прошлого. И «деревня» в устах Простого звучит как насмешка. Какая деревня? Какая пашня? Просто болтовня. Корней нет!

И даже любовь для них материальна, как покрышка для автомобиля. Надо (престижно!) иметь любовницу, вот я и имею. Это неважно, что я не питаю к ней никаких чувств, что сердце мое пусто — полагается иметь! И к жене не осталось никаких чувств. Кроме страха. Страх постоянно живет рядом! Отсюда и постоянная настороженность, даже ненависть друг к другу. Кто продаст? Кто первый?

В чем же драма? Эти люди обокрали сами себя. В первую очередь. Обман государства рано или поздно наказуем. А как быть с самим собой? Со своей совестью, с душой, в конце концов? А про все это они забыли. Есть так называемое ДЕЛО. И все! Бездуховность так же страшна, как обезумевший пьяный с ружьем. К сожалению, «деловые люди» составляют немалую часть общества. Они агрессивны в своей наступательности. Об этом и говорит Шукшин.

Нас, артистов, часто спрашивают: а в чем же ваш оптимизм? Так ли уж все безысходно? Нет, не так! Дело в том, что мы хотим дать отпор бездуховности. Остановить ее расползание. И сделать это можно, только правдиво, точно и беспощадно показав ее физиономию.

Шукшин говорил: «Смешно должно быть не от трюка, а от правды». Очень справедливые слова!

Мне довелось ставить спектакль «Энергичные люди» в Ростоке (бывш. ГДР). Немецкие актеры — дотошный народ. У них существует такое понятие как «введение»: прежде чем ставить спектакль, они хотят разобраться, о чем он, вникнуть в атмосферу происходящего, понять особенности характеров героев.

Я это предчувствовал и взял с собой фрагмент из «Калины красной» и фильм «Слово матери» — о матери Шукшина, снятый Анатолием Заболоцким. Все это я им показал. Они рты открыли. А потом ко мне подошел один актер, наверное, самый дотошный, и спрашивает:

— Как это у вас сочетается: вся эта техника, ракеты и то, что мама Шукшина стоит с коромыслом у проруби и идти ей за водой приходится километра полтора по морозу?

— Так это, милый,— говорю,— и есть Россия.

Он растерянно так кивнул:

— Я все понял...

И еще я рассказал им историю, которая приключилась со мной, когда я работал в детском театре. Я так замотался, что забыл купить елку. Наступило 31-е число, отыграл в спектакле, и мне ребята советуют:

— Поезжай на Киевский вокзал, там всегда можно купить елку, тем более в новогоднюю ночь.

Приезжаю — ничего и никого там нет. А мороз, помню, все сильнее и сильнее. Походил, походил, смотрю — время уже к двенадцати, пора домой. Иду через сквер, и вдруг сиплый голос из темноты:

— Эй, парень, иди сюда, чего надо?

— Елку,— говорю.

— Так вот же елка! Бери!

Вижу, действительно, стоит мужичок, держит елку. Тогда были другие деньги, и на мой вопрос «сколько?» мужик назвал замечательную сумму:

— Три рубля!

— Да ты загнул,— говорю, а сам, делать нечего, лезу в карман за деньгами.

А он как-то так пригнулся, чуть не присел. Даю ему трешку. Он мне:

— Держи елку.

А сам что есть духу побежал к вокзалу, причем какими-то зигзагами, как будто я в него стрелять собираюсь.

Хотел было я пойти, а... елка не пускает! Он мне, оказывается, продал растущую в сквере елку! Ну попал, думаю. А какая елочка была замечательная — голубая, аккуратненькая...

И я спросил немецких актеров:

— А у вас такое возможно?

Они засмеялись и закивали головами.

— Мы все поняли.

И действительно, что-то до них дошло, потому что играли они замечательно.

Кстати, в память об этой поездке в ГДР у меня сохранился любопытный документ, который повергает в изумление не только иностранцев, но и наших, привыкших ко всему соотечественников.

Вот этот документ:

СПРАВКА

Дана ДУРОВУ Льву Константиновичу в том, что борода необходима ему для съемок в кино, на телевидении и для работы в театре.

Справка дана для проезда на территории ГДР.

Заместитель директора театра (*подпись*).

Эй, бородачи! А у вас есть справки на право ношения бороды? Сомневаюсь.

А на самом деле ничего странного эта справка не представляет. Просто сфотографировался я на загранпаспорт без бороды, а выехал за рубеж уже с бородой. И чтобы не было в пути никаких недоразумений, меня и подстраховали этим документом.

Конечно, для познания России я мог бы еще многое рассказать своим немецким коллегам. Например, мог бы просто показать им две телеграммы, из которых они не поняли бы ровном счетом ничего.

Вот первая:

«ЯЛТА ДОМ ТВОРЧЕСТВА АКТЕРУ ДУРОВУ ЛЬВУ КОНСТАНТИНОВИЧУ
СЪЕМКА ВАШИМ УЧАСТИЕМ НАЗНАЧЕНА 4 АВГУСТА БЫТЬ КАЛИНИНЕ 19 ЧАСОВ СОБРАНЫ ПОЛТОРЫ ТЫСЯЧИ АРМИИ АКТЕРЫ СМОКТУНОВСКИЙ УЛЬЯНОВ БЫКОВ СООБЩИТЕ НОМЕР РЕЙСА ВСТРЕТИМ = ДИРЕКТОР КАРТИНЫ ВУЛЬМАН РЕЖИССЕР ГОСТЕВ».

Какая армия, какой Смоктуновский?! Ничего этого и в помине нет. Как нет и самой съемки. Все дело в том, что из Ялты невозможно вылететь: нет билетов!

И я иду с этой телеграммой к начальнику аэровокзала.

— Видите,— говорю,— какая армия бездействует, какие актеры! И все из-за того, что я не могу вылететь.

Срабатывает мгновенно. Билет у меня в кармане, и чтобы сыграть свою роль до конца, отбиваю ответную телеграмму:

«МОСКВА МОСФИЛЬМ К/К БЕСПРЕДЕЛ РУКОВОДСТВУ
ВОЙСКО ВЫСТРОИТЬ 1900 ПЛАЦУ СМОКТУНОВСКОМУ УЛЬЯНОВУ БЫТЬ НАЗНАЧЕННОЕ ВРЕМЯ БЫКОВА ЗАМЕНИТЬ ПАШУТИНЫМ ВЫЛЕТАЮ ВСТРЕЧАЙТЕ ПРИВЕТ ПАВЛОВУ НЬЮ-МЕНУ = ДУРОВ».

Да-а, чтобы понять русский уклад жизни и загадочную русскую душу, надо, наверное, все-таки пожить в России, походить в стужу к проруби за водой и обмануть одного-другого начальника аэровокзала.

В кино я начал сниматься в 1954 году. В первой картине («Доброе утро») я сыграл роль помощника экскаваторщика. В фильме «Гость с Кубани» я уже был помощником комбайнера. Потом играл милиционера. И попал в такую орбиту, где играл, как я их называю, в полуцветных, полухудожественных, полумузыкальных фильмах. И играл довольно долго.

И вот однажды звонит мне Лика Авербах из
«Мосфильма» и говорит, что со мной хочет познако-
миться Михаил Ильич Ромм. А я знал, что попасть к
нему в картину почти невозможно. Но раз зовут, надо
ехать. Приезжаю. Лика взяла меня за ручку и приве-
ла в павильон.

— Жди,— говорит.

Сел я и слышу за декорациями знакомые голоса:
что-то там репетируют. Выбегает Михаил Ильич
Ромм, в серой рубашке, мятых брюках, смотрит на
меня, спотыкается и говорит:

— Ой, что ты, Лика, я же его знаю! Мне ведь нужно мурло, а Левочка такой симпатичный!

Тут вылетает из-за декорации мой учитель по Школе-студии МХАТ Сергей Капитонович Блинников,
слышит последнюю фразу и начинает протестовать:

— Какое мурло, Миша? Смотри, какой красавец! Я
его за красоту и держал у себя на курсе!

— Вот и я говорю, что он красавец! — соглашается
Ромм.— А мне нужно мурло.

И Блинников без паузы:

— Какой красавец? Ты что, не видишь, какое мурло? Какой страшный! За мурло-то я и держал его на
курсе!

Чувствую — краснею, и говорю:

— Михаил Ильич, я пойду.

А они все спорят: мурло — не мурло, красавец —
не красавец. И тут раздается такой знакомый тихий
голос:

— Ну стоп, хватит. Левочка, ты утвержден.

Поворачиваюсь — Леша Баталов!

Ромм не стал спорить.

— Ну что ж,— сказал,— раз они говорят, что вы
утверждены, куда ж мне деваться? Вы утверждены.

— Михаил Ильич,— говорю,— не надо...

— Нет-нет, пойдемте смотреть материал.

И мы пошли смотреть отснятый материал. Это было потрясающе. Я ничего подобного до того времени не видел. Там была сцена, где Баталов рассказывает, как он делал атомную бомбу. Этот кусок потом пересняли: начальству не понравилось, что герой сильно облучился. Там еще был иконостас, который заставили убрать, и его заменили телевизором. Но и переснятая сцена была не менее потрясающей. После просмотра меня спросили:

— Ну и как тебе?

И я даже не мог ответить, пробурчал что-то банальное, вроде: «Замечательно...»

Так я вошел в фильм «Девять дней одного года». Там в групповке снимались ученики Ромма: Добролюбов, Яшин, Смирнов. Потом они сочли своим долгом обязательно меня снимать. И я у каждого из них снимался. Это было началом моего серьезного вхождения в кино.

МОЯ БАРАХОЛКА

Вещи не ревнуют друг к другу и не кичатся своим происхождением. Они могут мирно сосуществовать рядом при разнице в возрасте в две тысячи лет и не замечать этого. Могут относиться к разным эпохам, цивилизациям и не обращать на это никакого внимания. Им все это до лампочки, потому что они свидетели прошлого, свидетели истории, которая, как известно, сослагательного наклонения не имеет.

Вот у меня на книжной полке хранится в маленькой рамочке экслибрис — книжный знак. На нем изображен государственный герб Российской империи — двуглавый орел и текст: «Библиотека Его Императорского Величества. Зимний дворец». Как у меня появился этот знак, даже вспомнить не могу. Но это уже вековая история.

А рядом с этой рамочкой лежит кусок колючей проволоки. Это уже новейшая история: память о событиях 1991 года у Белого дома в Москве.

В ту памятную ночь я не мог оставаться дома и посчитал своим долгом гражданина быть на Краснопресненской набережной со всеми теми, кто пришел туда защищать свою честь, свое достоинство.

Я долго бродил среди толп людей, среди которых было много молодежи, женщин с детьми. И вдруг слышу, кто-то меня зовет:

— Лева, иди сюда!

Я обернулся и увидел какого-то рыжего бородача в камуфляжной форме, да еще, вроде, в парадной. Лицо его мне показалось знакомым, но я никак не мог вспомнить, где я его видел. Подошел к нему. Оказалось, что я попал к представителям штаба внешней охраны Белого дома. Этот бородач очень лихо всем распоряжался и все время уговаривал ребят не пускать в дело «дурь» — бутылки с зажигательной смесью.

Он послал навстречу войскам ребят с листовками и просил их:

— Ребята, разговаривайте с солдатиками культурно, интеллигентно. Они же сами не знают, куда идут. Они выполняют приказ. Они же военные люди. Будьте с ними деликатными.

Потом к этому бородачу подошел какой-то парень и говорит:

— Ты что, командир, не видишь вон того в голубой куртке? Подозрительный тип...

— Вижу,— сказал бородач.— Давно за ним наблюдаю. Давайте его сюда.

Привели этого типа в голубой куртке. Бородач спрашивает:

— На кого работаешь?

— Не понимаю...

И тогда бородач одни резким движением сорвал с него куртку, и мы увидели под ней рацию. Тот сразу как-то завял, а бородач приказал своим:

— Ведите его в штаб. Там разберутся.

И его увели в Белый дом.

Я спросил:

— А в чем дело?

— Да я давно уже за ним слежу. Он все время передает кому-то, что происходит вокруг Белого дома.

Потом уже стали говорить, что все это было несерьезно и чуть ли не шутка. Да нет, это было очень серьезно. Если бы тогда «Альфа» не отказалась штурмовать Белый дом, то было бы Бог знает что. Недаром кто-то из Белого дома через громкоговоритель все время повторял:

— Я профессиональный военный. Женщины и дети, я вас умоляю уйти отсюда, потому что, если начнется здесь, вы в мышеловке. Вы сами заперли себя баррикадами и не представляете, что здесь будет твориться. Умоляю вас, уйдите отсюда!

Через некоторое время опять:

— Я вижу, вы здесь остаетесь. Прошу вас, как только начнется стрельба, ложитесь на набережной под парапет.

Но как он ни уговаривал, никто так и не ушел.

Возвращался я домой под утро, промокший насквозь. Видел эти ромбики, сделанные из досок. В них лежали кровавые сгустки. И уже кем-то были положены цветочки...

Видел какую-то элегантно одетую женщину с депутатским значком, которая выводила из трагического тоннеля бронетранспортеры. Смотрел на солдатиков, которые сидели на броне с потухшими глазами и серыми лицами. На них было страшно смотреть. Уже на некоторых танках висели трехцветные флаги.

Врезалась в память незабываемая сцена. Возле танка сидит капитан — усталый до изнеможения, черный. Но очень красивый офицер. А перед ним прыгает какой-то тип с депутатским значком и кричит:

— Снимите этот флаг! Этот красный флажок со своего танка! Укрепите вот этот! Вы что, пришли сюда убивать?

И капитан, устало:

— Да перестаньте вы прыгать!.. Никого я не собираюсь убивать. А флагу я присягал вот этому, красному. Вот когда сменят присягу, тогда я присягну этому флагу. А если, кстати, хотите, меняйте сами, а меня оставьте в покое.

А депутат все продолжал прыгать. И тогда я не выдержал, взял его за грудки и сказал:

— Оставь его! Ты что, не видишь, что он не в себе? Что он, сам не понимает, что выполняет противоестественный приказ? А ты еще перед ним прыгаешь!

И этот господин со значком отскочил и скрылся в толпе. Капитан поднял глаза и сказал:

— Спасибо тебе,— потом рассмотрел меня.— А-а, артист Дуров?

— Да,— говорю.

— Вот видишь, какая история...

— Отдыхай, капитан. Я пошел.

А уже перед тем, как покинуть площадь, меня остановили, откусили кусачками кусок проволоки от заграждения и вручили без всяких торжественных слов. Просто сказали:

— Возьми, Дуров, на память.

А потом я решил узнать о рыжем бородаче, который стоял в охране Белого дома. Помог случай. Как-то на улице меня окликнули, и я увидел перед собой того самого командира. Оказалось, что это писатель Виктор Доценко, который пишет детективы, и что мы живем с ним в одном доме. Поэтому мне и показалось тогда его лицо знакомым,— значит когда-нибудь встречались взглядами или в лифте, или в подъезде.

Живем рядом, а встретиться и поговорить все как-то недосуг. И только этот кусок колючей проволоки напоминает мне о той тревожной ночи.

А вот эта красивая вещица называется волчанка. С ней охотятся на волков. Садятся джигиты на коней и мчатся по степи за волками. Догоняет такой охотник волка и с седла бьет его этой волчанкой. Считай, что волка нет.

Выглядит же эта волчанка очень даже изящно: этакая искусно оплетенная палочка, вроде дубинок у наших милиционеров. Но только по форме. В полметра длиной и сантиметра два в диаметре. Судя по весу, оплетен или свинцовый, или стальной стержень.

Подарил мне ее мой большой друг Мухтарбек из знаменитой цирковой династии осетинских наездников-джигитов Кантемировых. А создал группу с ее великолепным красочным номером поразительной джигитовки Алибек Кантемиров еще в 1924 году.

Мухтарбек обладает необыкновенной физической силой, владеет карате и всеми видами оружия, причем предпочитает холодное оружие. Все, что он ни бросит, у него втыкается.

Мы с ним попадали в разные ситуации, и он никогда не использовал ни свою физическую силу, ни спортивное умение. Это один из добрейших людей, которые мне встречались за всю мою жизнь. Он просто не может обидеть человека — это противно его характеру.

Он начинал выступать в цирковой группе Кантемирова, а потом создал свой театр лошадей. Стал изумительным актером, каскадером. Мне довелось сниматься с Мухтарбеком в одном кино, и я получил от общения с ним огромное удовольствие.

Нужно только видеть, как Мухтарбек скачет на лошади. Потрясающее впечатление! Невозможно понять, где лошадь, а где наездник. Кажется, что они сливаются в одно единое существо.

А следует заметить, что лошадь очень умное и коварное животное. Человек еще к ней подходит, а она уже понимает, умеет он ездить верхом или нет. И если видит, что имеет дело с новичком, тут же начинает проявлять свой коварный характер. Когда на ней затягивают подпругу, она надувает живот. А стоит выскочить на манеж, как тут же выпускает из себя воздух, и неопытный наездник под веселый хохот зрителей вместе с седлом оказывается у нее под брюхом.

А бывает и так. Когда такой горе-наездник начинает ее седлать, она просто наступает ему на ногу. Боль жуткая! Тот орет, а она ни с места. Но тут, как обычно, на вопли выбегает конюх: «Ты что? А ну-ка!» И тогда она сойдет с ноги, потому что знает: за окриком последует наказание и больно будет уже ей.

Когда Мухтарбек идет к лошади, он начинает говорить ей ласковые слова:

— Куколка, бабочка, красавица...

И вот уже даже колхозные одры начинают мелко-мелко дрожать в нетерпении. Это тоже нужно видеть.

Так вот этот прекрасный человек и подарил мне такую изумительную вещицу — волчанку.

Кинул я зачем-то этот драгоценный подарок в «бардачок» своей машины и вроде бы даже забыл про него. В Москве, как известно, волки по улицам не бегают, а прохожих я бить не собирался. Я уже был известным артистом, и меня узнавали в лицо. О хулиганском периоде своей жизни я вроде бы уж и забыл. И не только не шутил над прохожими, но даже научился быть с ними вежливым и предупредительным.

И вот как-то еду я, куда-то тороплюсь, а меня подрезает шикарный «мерс», в котором сидят два амбала. Они притормаживают, одна бандитская морда высовывается в окошечко и начинает хамить.

— Да пошел ты!..— огрызаюсь я на ходу, потому что мне некогда было с ними базарить, и еду дальше.

Останавливаюсь на минуту у магазина, чтобы купить кока-колу. И они останавливаются. Вылазят два шкафа с глазами, видно, бывшие борцы, и в лицо меня не узнают. Значит, думаю, «новые русские» телек не смотрят — у них другие забавы. И один из них спрашивает:

— Ты действительно послал нас?..

— А чего,— спрашиваю тоже,— вы плохо слышите? И тогда один другому говорит:

— Убей его.

— Ребята,— возражаю я,— вас двое, а я один. Схожу за приятелем.

— Иди,— говорят.

Я взял из «бардачка» эту волчанку и иду навстречу амбалу, который уже принял боевую стойку. Тут я ему этим прибором и врезал в грудь. Он рухнул на колени и — лбом об асфальт.

Второй ничего не понял и спрашивает:

— Ты чего?

— Сам не знаю,— отвечаю, потому как не ожидал такого эффекта.

Наконец тот, который лбом об асфальт, очухался и первым делом спрашивает:

— Чего это было?

— Сам не знаю,— опять говорю им честно и прошу: — Вы, ребята, подождите, я сейчас кока-колы принесу, а то его, может, тошнить будет.

Купил кока-колу, дал ему попить, а он никак еще в себя не придет и все интересуется:

— Чего это было?

— Да друган тебе расскажет, а я поехал. Пока!

Приезжаю домой и сразу звоню Мухтарбеку.

— Послушай,— говорю,— что ты мне подарил? Я тут чуть человека не убил — попал ему в грудь.

— Он отключился? — спрашивает.

— Конечно!

— Правильно. Он и должен был отключиться. Но это,— говорит,— скоро проходит: обычный шок.

— Нашел,— говорю,— кому дарить: я ж лефортовский. Как говорят блатные, вынул нож — так бей!

А тут еще один дружок — Ваня из Японии, Ваня-сан — привез мне два японских сувенирных меча. Шикарные мечи! Но что мне с ними делать? Пусть лежат, не в «бардачок» же их класть. А то попадутся еще в дороге крутые ребята, и что мне тогда прикажете — обнажать их? Вот то-то и оно! Волчанка хорошо, а мечи-то лучше...

Есть у меня еще иконы. Но я их специально не собирал: они достались мне по наследству от мамы. Когда я смотрю на эти древние лики, то ощущаю себя причастным не только к православию, но и к своему древнему роду, который никогда не изменял вере русской, а уж пострадал за нее достаточно.

Мне рассказывали, как в древнем русском городе Старица, известном с XIII века, где был основан в

XVI веке Успенский монастырь, а всего там было семь монастырей-крепостей, так вот в этих монастырях во время гонений на церковь при Советской власти сдирали иконостасы и либо уничтожали на месте, либо грузили на машины и вывозили неизвестно куда.

А теперь появились коллекционеры, у которых все стены в иконах! Это что — почитание святынь? Да ничего подобного! Люди, считающие себя верующими, превратили предметы православного культа в некое подобие преходящей моды, вроде моды на кассеты с записями эстрадных звезд.

Как-то меня спросили: «А не думаете ли вы, что эти «коллекционеры» охраняют свои сокровища от разграбления?» Нет, не думаю. Охрана исторических ценностей нации — обязанность государства. Так, господа коллекционеры, отдайте их под охрану государства!

Не отдадут!

Но вот, поразмыслив еще, меня взяло сомнение: а может, и правы коллекционеры? Какого государства? У которого размыты не только внешние границы, но и внутренние законы?

Довериться Храму? Но его уже однажды взрывали, и кто поручится за то, что его не взорвут еще?

Видно, все-таки эти коллекционеры и правы: пусть уж держат эти «культовые предметы» в своих сусеках.

А вот это уже пошли древности.

...Глиняный кувшинчик странной формы: то ли это лотос, то ли символическая фигурка женщины.

Мне его подарил артист Турабов. Мы снимались с ним в Азербайджане в картине Юлия Гусмана «Не бойся, я с тобой». Я очень полюбил этого артиста и как-то, выступая на телевидении, сказал, что он мог бы украсить труппу любого европейского театра. И, видно, мои слова до того его тронули, что он решил сделать мне памятный подарок. И передавая мне этот кувшинчик, сказал, что ему две тысячи лет, а найден он в древних захоронениях.

Не знаю, сколько ему лет на самом деле, но кувшинчик очень красивый.

... Маленький глиняный конус. Может быть, носик от какого-нибудь сосуда. Его я нашел сам. В Крыму я плавал с маской и как-то увидел на дне целое кладбище разбитых амфор, лежащих здесь, наверное, еще с древнегреческих времен. Вот эту античную вещицу я и достал со дна моря на память о Крыме.

...Еще одно глиняное изделие, напоминающее по форме наш русский чугунок. Его я нашел в Бахчисарае, где вообще случилось несколько замечательных историй.

Мы там снимали фильм «Христос приземлился в Гродно». Место, где мы снимались, называлось Оползневое. Вокруг него не было ни одного селения, и это показалось поначалу странным. Но потом нам объяснили, что здесь постоянно дует сильный ветер, дует без перерывов с одной и той же скоростью, и это влияет на психику человека. Более получаса на нем невозможно выстоять. Начинаешь нервничать, дергаться, появляются сильные головные боли.

У нас была большая массовка, наверное, человек двести или триста. И вот как-то в группе появился маленький человек, который представился Василием Рыбкой. Сказал, что занимается раскопками и сейчас здесь, наверху, раскапывает древний курган. И предложил: если кто хочет покопаться, может присоединиться к нему.

Кто-то из любопытства пошел. Через несколько минут Вася кричит:

— Нашел!

И показывает нам медный наконечник от стрелы. Все, конечно, схватили лопатки, бросились наверх и стали крушить этот курган. Ничего интересного не нашли, но азарт поиска уже захватил людей, и на следующий день наша массовка сильно поредела.

— Нашел! — кричал Рыбка и показывал всем стеклянный сосуд.— Это для благовоний,— объяснял он,— у меня такой уже есть, теперь будет второй.

На третьи сутки наша массовка раскурочила весь этот курган, но находил почему-то только Вася Рыбка: то монетку, то кусок древней керамики, то еще что-то. А еще через несколько дней подошел ко мне и говорит:

— Константиныч, понимаешь, у меня денег нет на раскопки, а как заинтересовать людей? Вот я из дома приношу эти древние вещицы и подкладываю. И вот видишь — массовка раскопала целое городище.

А потом этот Рыбка стал главным егерем Крыма. И стреляли в него браконьеры, и чуть ли не капканы на него ставили — всякое было. Интересный человек. Он писал стихи, статьи и очерки о истории Крыма, о древних племенах, которые населяли его.

Мы ездили с ним собирать травы на альпийские луга — ведь там весь набор лечебных трав. А однажды он мне сказал:

— Константиныч, знаешь чего? Ты должен принять императорские ванны.

— А что это такое? — спрашиваю.

— Сам увидишь.

Он привез меня на окраину Ялты в какую-то небольшую хибарку на берегу моря, рядом с санаторием. Вокруг хибарки — садик, и в нем, как полагается, сливы, персики, груши, гранаты, виноград. А посреди дворика стоит ванна на кирпичных столбиках.

Какие-то люди мне говорят:

— Раздевайтесь, сейчас будете принимать императорские ванны.

И стали в эту ванну таскать какие-то венички, свежескошенную траву, а потом разожгли под ней костер. Когда вода закипела, мне сказали:

— Залезайте!

— Вы что, обалдели? — взмолился я.— В кипяток меня суете!

— Вот-вот,— говорят.— Вы не трусьте, не обожжетесь. Горячо будет, но вкрутую ваше хозяйство не сварится.

Я залез и чувствую, что, действительно, терпимо.

— А вот ветки,— говорят,— под себя подкладывайте.

Я подложил. Жутко горячо, но я терплю. А вокруг меня все булькает, и не поймешь, в чем варишься — то ли в борще, то ли в щах. А они еще приходят с какими-то флакончиками с благовониями и подливают вроде приправы. Ужас какой-то!

Вот так варился, варился я, не знаю сколько, может быть полчаса, может больше. И, наконец, мне сказали:

— Вылезай.

Я вылез, а меня качает.

— Это естественно,— говорят.— Это травы так действуют.

И повели меня под руки к морю.

— Давайте поплавайте немного.

Я поплавал, вылез на берег, а они меня опять в этот кипяток.

— Эти ванны,— говорят,— омолаживают. Лет на десять будете моложе.

На этот раз меня поменьше поварили: минут десять. И опять в море. А после этого дали какую-то черную настоечку — маленькую рюмочку. Оказывается настоечка была на зеленых грецких орехах. Ну я выпил и упал как подкошенный. Проснулся, а они спрашивают:

— Ну как вам — хорошо?

— Да,— говорю.

— Вы помолодели лет на десять.

Я посмотрел на себя в зеркало: да нет, особенно я не помолодел, но то, что приобщился к римским императорским ваннам — это точно. Правда, я этими благовониями пах около месяца, никак не мог от этого запаха отмыться.

Вот такой замечательный человек Василий Рыбка. Мы потом с ним долго переписывались. Ну, а со временем связь прекратилась, и теперь я даже не знаю, чем он занимается.

...А вот стоит самовар. Мне его подарил мой друг Толя Заболоцкий после съемок картины «Калина красная», когда мы были в Белозерске.

Толя Заболоцкий — оператор, друг Василия Макаровича Шукшина. Он снимал почти все его картины. Еще у него была картина про Дагестан, которую запретили к прокату. И хроникальный фильм «Покос» — про то, как косит крестьянин. Там был совершенно грандиозный план, который начинался с сухой рубашки, в которой человек только вышел на покос. Толя снимал его со спины. Шел, шел за ним, а рубашка темнела, темнела, темнела, потом проступали капли и начинали литься ручьи пота. Это была поэзия настоящего крестьянского труда — поэма о труде. Замечательная картина!

А вообще он много снимал художественных фильмов и в Москве, и в Ленинграде. А после смерти Макарыча с кино порвал и стал заниматься художественной фотографией. Фотографии он делает совершенно невероятные. У него уже было несколько персональных выставок. Кроме того, он иллюстрирует книги. Вот у меня стоит юбилейное издание «Слова о полку Игореве», которую оформлял Заболоцкий. Иллюстрировал он и книги Виктора Астафьева.

Несколько лет назад финны ему заказали календарь «Русский женский портрет». Он ходил по всем музеям, израсходовал километры пленки, потратил все свои деньги, но календарь сделал шикарный. Он подарил мне экземпляр. Я заказал рамки, застеклил и повесил на даче: 24 женских портрета! Изумительные лица — и Юсупова, и Ланская — Наталья Гончарова, которая после смерти Пушкина стала женой генерала Ланского... И все это на отличной бумаге, которая выдерживает всю патину подлинника. Изумительные портреты.

Толя сам по себе удивительный человек. Абсолютный бессребреник, дважды заслуженный деятель искусств — России и Белоруссии, где он проработал много лет. Человек с неожиданными проявлениями.

Однажды он звонит мне и говорит:

— Лева, выручай. Я вчера в милицию попал. Все документы отобрали.

— А в чем дело?

— Да потом,— говорит,— я тебе расскажу. Плохая история со мной приключилась.

Я спросил у него, какое отделение милиции, и поехал. Прихожу к начальству.

— Ну вот! — говорит начальник.— Дуров заступаться приехал! Мы его сажать будем!

— Здравствуйте,— говорю,— в чем дело?

— А вот пожалуйста — протоколы, показания милиционеров, которые его привели к нам.

— Так в чем все-таки дело?

— Видишь ли,— объясняет начальник,— он поехал домой на такси. А улица Алексея Толстого — она ж правительственная, и она закрыта. Ему пришлось вылезти из машины и пойти пешком. Он шел, шел и неожиданно лег посреди улицы. Подходят милиционеры: «Ты что здесь разлегся? Вставай, это правительственная улица». А он и говорит: «Потому и лежу, что с этим вашим правительством по одной земле ходить не хочу». Они настаивают: «Вставай!» А он им: «И с вами заодно тоже не хочу ходить по одной земле, потому и лежу». Ну они его подняли и повели. А он все и рассказал по дороге, что он думает и о партии, и о правительстве, и о милиции. Вот мы и отобрали у него все документы и сказали, что будем сажать.

Я говорю:

— Начальник, скажи, пожалуйста, вот ты читаешь все эти показания, а я выйду сейчас из отделения и напишу на тебя телегу твоему министру, что, мол, разговаривал я с тобой, а ты ругал Политбюро и все на свете. Отбрешешься?

— Никогда!

— Так чего ты эти протокольчики собираешь? Мало ли чего могли там твои нагородить!

— Действительно... Пусть он ко мне зайдет.

Заболоцкий зашел. А потом мне этот начальник звонит:

— Дуров, слушай, да какой же этот Заболоцкий замечательный человек! Мы тут так побеседовали, что я его вообще отпускать не хотел. Вот с ним бы вместе в камеру сел и год бы просидел — очень интересный человек!

— Ну, вот видишь,— говорю.— А то сразу: сажать!

Посмеялись, и на этом вся эпопея закончилась. А потом, когда я приехал на съемки в Бахчисарай, мне говорят:

— Толя Заболоцкий болен. Лежит в гостинице.

— Что с ним?

— Простудился и подхватил ангину.

А жара градусов тридцать пять! Захожу я к нему в номер, а он лежит весь багровый.

— Открой рот,— говорю.— Хочу посмотреть.

Он открывает рот, и я гляжу, что у него там висят ангинные лохмотья. И тут мне ударяет в голову глупость. Не знаю, что со мной случилось, но мне очень хотелось помочь товарищу, и я побежал в аптеку. Покупаю там пузырек таблеток пенициллина. Захожу в номер.

— Открывай рот,— говорю.

Обжег я чайную ложку и стал соскребать у него с нёба все эти лохмотья. До того доскреб, что даже кровь пошла.

— А теперь,— говорю,— прими таблетку пенициллина.

Пока я мыл ложечку, слышу: хрум-хрум-хрум. Оборачиваюсь:

— Что ты делаешь?!

А он высыпал все таблетки в рот, разгрыз их и запил водой.

— Все нормально,— говорит.— Я уже чувствую, что мне лучше. Только завтра пусть отведут меня в баню, и все будет отлично.

Я испугался, что он отравится таким количеством пенициллина. А он утром проснулся и — хоть бы что.

Повели его в баню, он там попарился, а на второй день стал снимать. А я понял, что могу еще и врачевать.

Он вообще любил париться, а с Шукшиным — особенно. А мне с ними не везло.

Однажды мы сидели в парилке втроем: Толя, я и Василий Макарович. Сидели мы в рядок, чин-чином. И тут кто-то плеснул ковшик на камни. Им хоть бы что, а меня обварили с ног до головы этим паром. Так что к баням я отношусь очень осторожно.

И вот, глядя на этот самовар, вспоминается еще история. Сидим мы в Белозерске в перерыве между съемками, опять же втроем, в какой-то столовке. И нам подали рагу: это такие макароны в большой палец толщиной серого цвета и, как будто ворона пролетела над тарелкой, это самое рагу. И огромный, сморщенный, желтый, как дыня, огурец.

Василий Макарович смотрит на этот огурец пристально-пристально и вилкой по жижице водит, водит, водит... И неожиданно бросает вилку и говорит:

— Вот сволочи! Огурец по бочкам замучили...

Встал и ушел. Мы с Толей переглянулись, а у меня даже сердце сжалось. Думаю: если у него такая боль за этот огурец, то уж за людей-то... Видно, представил Макарыч этот огурец на грядке — молодой, зелененький, красивый. И вот во что его превратили люди.

У Макарыча всегда желваки так и ходили на лице, будто он постоянно на что-то сердился.

И еще вспоминаю. Ехали мы вместе со студии Горького в «рафике». Шукшин сидел такой сумрачный-сумрачный. Вдруг снял с себя шапку, пересел на пол и сидит. Все молчат. Едем. Водитель притормаживает и говорит:

— Василий Макарович, вам лучше здесь выйти.

Шукшин сжимает в руках шапку и вдруг говорит:

— Пусть он только на меня крикнет — я ему крикну...— И выходит.

Потом выяснилось, что его вызывал министр кинематографии, чтобы обсудить начало «Калины красной». А надо сказать, что Шукшина часто предавали. Даже его друзья. В глаза хвалили, а за глаза шептали тому же министру: «Зачем нам нужна картина о бунтаре? Не нужна нам такая картина!»

И вот в кабинете долго-долго говорили, министр вилял-вилял и, подводя черту под разговором, сказал:

— Ну, знаете, Василий Макарович, давайте так: я начальство, мне и решать!

И Шукшин неожиданно спросил:

— Слушай, начальство, когда у тебя рабочий день кончается?

— Ну, в семнадцать часов.

— А в семнадцать часов одну минуту я тебя пошлю знаешь куда? — И Шукшин пояснил куда.

Не знаю, пошел туда министр, куда его Макарыч послал, или не пошел. Но, говорят, он сидел после этого в кабинете, не вылезая, три часа — видно, обдумывал, что ему делать.

А в день смерти Макарыча... Наверное, такое только у нас бывает... Вот как это считать: кощунство — не кощунство? Не знаю. В день его смерти на одной из дверей «Мосфильма» прибили табличку: «Калина красная». Василий Шукшин». А что же при жизни-то?

Многие не хотели, чтобы снималась эта картина. Ему даже в группе вставляли палки в колеса.

Помню, из Белозерска надо было вывезти на профилактику аппаратуру и прихватить отснятый материал. Из свободных людей были только я да парнишка — ассистент оператора. И Шукшин попросил меня:

— Помоги парню. Одному ему не справиться.

Понятное дело: огромные кофры с аппаратурой, пленки — там и вдвоем-то намаешься.

— Приедете в Вологду,— успокаивает Шукшин,— там вас встретят, помогут сесть на самолет. Прилетите в Москву, вас там тоже встретят и отвезут со всем хозяйством на «Мосфильм».

Приехали в Вологду — никто нас не встретил. Взяли мы машину, загрузили с этим парнем и поехали в аэропорт. Приезжаем и узнаем, что такого рейса, который нам назвали, вообще нет и в помине. Мы назад, на вокзал. Приехали. Оказалось, что билетов нет, и в Москву уехать никак невозможно.

Выгрузили мы эту груду коробок и ящиков на привокзальной площади и стали по очереди охранять ее — цена этой аппаратуры была фантастической. А пленки? Это же весь материал, отснятый в экспедиции! И пошел я к начальнику вокзала.

— Никак не можем уехать,— говорю.

— Никто не может уехать,— отвечает.— Вы видите, у меня здесь, как во время войны.

— Понимаете,— продолжаю,— у нас дорогостоящая аппаратура.

— У всех аппаратура.

— Да это картина «Калина красная»! Шукшин снимает!

Он сразу замер.

— Кто? — переспрашивает.

— Шукшин,— говорю.— С Белозерска привезли.

— Шукшин? Новую картину? Какую?

Я ему вкратце рассказал сюжет фильма, и начальник загорелся.

— Ребята, да вы что! Первым же поездом! Сейчас телегу притащим!

Притащили огромную телегу для багажа, мы в нее все сложили и подкатили к тому месту, где, как сказал начальник, остановится наш вагон. Наконец сели. Приезжаем в Москву, и здесь нас никто не встречает. Погрузили свой багаж в такси и привезли ко мне домой. Я тут же позвонил на «Мосфильм» и сказал, что вся аппаратура и пленка «Калины красной» у меня дома.

Все это забрали у меня только через неделю.

Очень многие хотели, чтобы не было этой картины. Картины под названием «Калина красная»...

Вот сколько веселых и грустных историй напомнил мне обычный русский самовар, который подарил мне Толя Заболоцкий.

А это уже опять из мира спорта: две хоккейные шайбы. На одной написано: «Владислав Третьяк. На память». А на другой — эмблема чемпионата мира, который состоялся в Западной Германии.

Я поехал туда в составе группы поддержки. Нас было в этой группе три человека: певец Иосиф Кобзон, пародист Саша Иванов и я. Мы выехали по туристическим путевкам за символическую плату.

Но перед тем как выехать, в Москве появился мой друг Фима Нухимзон. Он когда-то руководил симферопольским Клубом веселых и находчивых. Остроумнейший человек. Он вручил мне набор красивых нагрудных значков и сказал:

— Будешь вручать эти значки лучшему игроку после каждого матча.

Я стал рассматривать эти значки и пришел в ужас. На одних было написано: «Ребята, канадцам — конец!» Только слово «конец» заменили другим, более емким русским словом. На других: «Ребята, чехам — мгм!», «Ребята, американцам — мгм!», «Ребята, немцам — мгм!» Только на одном была приличная надпись: «Ребята, отыграем клёво, и рядом с вами Дуров Лёва!»

Показал я эти сувениры друзьям, и они в один голос стали меня отговаривать:

— Ни в коем случае не вези ты эти подарки! Тебя на таможне сразу завернут.

Но все обошлось, и я благополучно пересек с этим товаром государственную границу. А потом действительно после каждого матча вручал лучшему игроку значок. Ох, и похохотали же наши ребята!

А я сам ходил все время с одним значком. И вот с ним-то и нарвался однажды на одну любительницу сувениров. Она подошла ко мне и с восторгом сказала на ломаном русском:

— Боже мой, Боже мой! Какой изумительный у вас значок! Я из Америки. Любительница сувениров. Продайте мне, пожалуйста, этот замечательный сувенир!

А на нем как раз было написано: «Ребята, американцам —мгм!»

Я покраснел и говорю:

— Знаете, я не могу его продать, я должен вручить его Третьяку.

— Тем более!

— А во-вторых,— говорю,— я вам ни за что бы не продал, а просто подарил. Но не могу же оставить Вячеслава Третьяка без этого значка.

А она не отступает и умоляет:

— Ну я прошу вас. Взамен я куплю вам все сувениры, которые продаются на стадионе.

А там чего только не продавали: каски, рубахи со всеми номерами, клюшки, шайбы — все, что угодно.

— Нет,— говорю,— ни за что!

Она очень расстроилась и наконец-то отвязалась от меня. А я был рад, что не уступил ее мольбам, потому что после матча торжественно вручил значок Третьяку, который, как всегда, блистательно отстоял эту игру.

Вообще говоря, Владислав пользовался на чемпионате огромной популярностью. Сидим мы как-то с ним возле стадиона на лавочке, и вижу — появляются две молодые женщины, очень красивые высокие блондинки. На их красных майках написано: «СССР». А когда одна из них повернулась, чтобы что-то сказать подруге, я увидел надпись и на спине: «Третьяк».

— Смотри,— говорю,— Владислав, в твоих майках ходят.

А он:

— О-о! Мои курочки. Сейчас они подойдут, возьмут автограф и уйдут. Эти девушки из Швеции. Они ездят за мной по всему миру. Никаких претензий у них ко мне нет. Просто вот такие поклонницы: приезжают во все страны, где я играю, берут автограф именно в этой стране и уезжают. Из-за меня им пришлось выучить русский язык.

И действительно, они подошли, и одна из них с очень сильным акцентом сказала:

— О, Слава, здравствуйте! Как вы замечательно играли! И мы так рады видеть вас здесь. Распишитесь, пожалуйста.

Они дали ему его же фотографии, и он расписался. Девушки одарили его ослепительными улыбками и ушли.

И еще мне запомнился один случай на этом чемпионате. Вообще посторонним не полагается заходить в так называемый бункер. Но поскольку и Тихонов, и Юрзинов хорошо ко мне относились, они разрешали мне посещать эту святая святых. Но я этим правом не злоупотреблял.

Первый период с чехами наши выиграли со счетом 2:0. И вот сидят ребята, отдыхают: Крутов, Ларионов, Фетисов — ну, все наши звезды. Вдруг входит Тихонов и начинает их распекать:

— Вы что, думаете, что выиграли первый период? Да вы его проиграли! Я смотреть на вас не могу! Что это за игра?

Я слушаю и ничего не понимаю: ведь они же блистательно играли!

Он их распекает, а они сидят и головки свесили, как дети в детском саду, которых воспитательница распекает за то, что они кубики разбросали. На это странно было смотреть. Долго он их распекал. А потом они встали и молча пошли на поле. Несмотря на то, что чехи были самыми тяжелыми противниками и играли жестко и коварно, наши закончили игру просто блистательно.

А после матча я опять зашел в бункер. Вижу, Фетисова колют новокаиновой блокадой, потому что у него весь бок синий. У многих кровоподтеки, ссадины... Тяжело досталась нашим победа.

Однажды я наблюдал сцену, которая меня как актера просто поразила. Иду я вдоль борта на стадионе и смотрю, как разминается наша команда. А Владислав в воротах делает шпагаты, мечется от штанги к штанге. Прохожу мимо и кричу:

— Слава, здравствуй!

Он даже головы не повернул в мою сторону. Я еще громче:

— Слава, здравствуй!

Никакой реакции. Кричу еще громче и думаю: ведь не может же он меня не слышать? И снова — ноль внимания. А после тренировки я его спрашиваю:

— Слава, ты что, не слышал, как я тебе кричал?

— Да слышал! Но нам нельзя отвлекаться. Когда я выхожу на лед, я уже в игре, весь собран, уже ловлю, несмотря на то, что никто еще на меня не бежит. Я даже жену прошу всегда сесть так на трибуне, чтобы она, не дай Бог, не попалась мне на глаза. Это меня сильно выбивает из игры.

Мне это очень понравилось. Мы, артисты, часто треплемся до самого выхода на сцену. Думаю, что пример Третьяка пошел бы нам только на пользу.

Как-то к нашей группе подошли местные ребята, немцы, и поинтересовались, что это мы там кричим: «Шайбу, шайбу! Мо-лод-цы!» Мы им, как могли, объяснили, и им это понравилось. А потом они стали болеть за нашу команду. Правда, в определенных ситуациях они начинали вести себя агрессивно. Мы ведь, как и полагается, всегда ходили с нашим советским флагом. И он их, видимо, очень раздражал. И вот стоят они как-то толпой, а мы проходим мимо. Они начинают что-то кричать, улюлюкать и показывать большим пальцем вниз. Я вышел вперед и сказал им на чистом русском языке:

— Ребята, не так все это делается, а вот как!

И показал им наш замечательный русский жест. По-моему, они сразу все поняли, потому что начали ржать, а на следующий день снова сидели рядом с нами и орали:

— Шайбу, шайбу!

Мы это первенство мира выиграли, и поэтому возвращение на Родину было особенно радостным. С поражением вообще возвращаться страшно, что с чемпионатов мира, что с гастролей. А когда привозишь с собой победу, то и жить веселей, и хочется делать свое дело еще лучше.

Что там еще на моей барахолке? Ага, вот: деревянное распятие в человеческий рост, по крайней мере — с мой. Оно из картины «Христос приземлился в Гродно», но снимали его мало. Мне его принесли, завернутое в сукно, прямо к вагону, когда я уезжал из Минска. Сказали:

— Это старинное распятие тебе в подарок.

В купе оно не уместилось, и мы его поставили в тамбуре. И вот только поезд тронулся, в дверь раздается стук и входит милиционер.

— Это вы везете то, что стоит в тамбуре? — спрашивает.

— Да,— говорю,— я.

— А что это такое — скульптура?

— Скульптура.

А он:

— Я сначала испугался, потом постучал, постучал, смотрю — твердое.

Я ему опять:

— Скульптура, скульптура.

— А кто это? — интересуется.

— Ленин.

— Точно! — подтверждает милиционер.— Я сразу догадался. Так пощупал лицо и вижу — борода.

Да простит меня Христос. Я был вынужден выдать его за Ленина, чтобы избежать осложнений с милицией.

А милиционер снова интересуется:

— Это вы куда — на выставку?

— Да нет,— говорю,— я его дома поставлю.

— Как «дома»?

— А что,— спрашиваю,— вы так относитесь к Ленину?

— Да нет, нет! Я вообще говорю...— Он выскочил из купе и больше я его не видел.

Я не считаю кощунством иметь дома распятие. Помню, была среди реквизита огромная крашеная скульптура святого. Очень роскошная скульптура. Так вот начальство решило сжечь ее, чтобы не распространять религиозную пропаганду. Потом я достал из пепелища маленького ангела. Он тоже стоит на моей полке...

А вот эта вещица у меня со студийных лет. Неказистая на вид, она тем не менее очень дорога для меня. Называется она балберка. Это такой толстый кусок пробки с дыркой посередине. И служит она всего-навсего поплавком на рыбачьих сетях.

Тогда я еще ухаживал за своей будущей женой, с которой мы учились в Школе-студии МХАТа. Но за ней ухаживали и другие. Предлагали и руку и сердце. Но она всем своим поклонникам всегда задавала один и тот же вопросы:

— А у тебя балберка есть?

— А что это такое — балберка? — в свою очередь спрашивали ее.

— Вот вы сначала спросите у Дурова, что такое балберка,—отвечала она,— а потом уж навязывайте мне свое внимание.

Ко мне подходили и спрашивали:

— Лева, что такое балберка?

— Это, ребята,— говорил я им,— очень сложно объяснить. Наверное, я не смогу.

— Ну скажи! Вон Кириченко говорит, что у нас никого нет, только у тебя у одного есть балберка.

— Так, значит,— говорю,— пусть эта тайна и останется между нами. Вот когда у вас будут свои балберки, тогда и будете пользоваться вниманием у дам.

Всего-то кусок пробки. Казалось бы, ну что в нем? А это как посмотреть...

В своей замечательной книге «Былое без дум» мой друг Александр Ширвиндт со свойственным ему неистребимым остроумием описывает рожденный его беспредельным воображением «музей-квартиру Дурова».

У меня был очередной юбилей, и Ширвиндт с Адоскиным придумали такую форму поздравления, которая выглядела как закадровый голос к фильму, якобы снятому в честь юбиляра:

«Широкоформатная, стереофоническая лента, посвященная Льву Дурову, в двух сериях.

Первая серия — «Белая птица с черной отметиной».

Вторая серия — «Не велика фигура, но Дуров».

Сценарий Михаила Шатрова при участии закрытых архивов и открытого доступа к ним.

Постановка Никиты, Андрона и Сергея Михалковых. Монтаж Антониони.

Перевод с французского песни «Русское поле» Яна Френкеля.

Действующие лица и исполнители:

Лев Дуров — Ролан Быков

Маленький Левчик — Донатас Банионис

Левин папа — Вячеслав Невинный

Левина мама — Рина Зеленая

Левины жены — выпускницы циркового училища им. Щепкина

Левины друзья — Георгий Вицин, Евгений Моргунов и Юрий Никулин

Веселый прохожий с системой за пазухой — Олег Ефремов

Эфрос в театре — Марчелло Мастроянни

Эфрос дома — Альберто Сорди

Эфрос в жизни — Борис Равенских

Москва! Колыбель Дурова... Калининский проспект — улица Горького — и, наконец, старая Москва. Марьина роща — центр культурной жизни Дурова... Вот они, его университеты — проходной двор между домами 4 и 5а, подворотня Старокаменного переулка, свалка у Миус... Движемся дальше... Лесная, Сущевский вал, Бутырская тюрьма — здесь каждый камень знает Дурова. Заглядываем за угол и натыкаемся на огромный особняк — музей-квартира Дурова... Входим в прихожую — все веет левизной: слева вешалка, слева дверь в узел, слева кабинет, в кабинете слева стол, на нем переписка — квитанции ломбарда, счета, домашние уроки — везде написано слева направо... В скромном уголке Дурова большой портрет Эфроса...

Дуров сегодня — совсем не то, что Дуров вчера, об этом говорят экспонаты... Рядом с вчерашней кепкой — велюровая шляпа, рядом со старой финкой и алюминиевой фиксой — фрак с почти свежим крахмалом. Отдельный стенд — печень трески.

— Откуда? — спрашиваем мы у смотрителя музея, она же жена и няня Дурова.— Откуда это, Ирочка?

— Прислали почитатели таланта,— ответила нам она, привычно прослезившись,— рыбаки Каспия, у них недавно давали...

Дурова всегда тянуло к звездам. Вот портрет: Дуров на диване с чигиренком в руке тянется к Евстигнееву, стоящему на соседней крыше у своей голубятни.

На стене висит фрагмент татуировки с груди Дурова, выполненный со вкусом и тактом: на фоне лиры объемный барельеф Шах-Азизова и надпись: «Не забуду мать родную».

Конечно, ни на груди, ни сзади, пониже спины, никаких татуировок у меня нет. Это может подтвердить каждый, кто парился со мной в бане. Но это так, к слову. Я все о ней же — о балберке. Как Саша мог пропустить ее и не уделить ей хотя бы несколько веселых слов!

А я вот сейчас еще раз посмотрел на этот кусок пробки, и мне на память пришел весельчак и балагур Ходжа Насреддин.

Как известно, Насреддин был бедным человеком. Но когда он расставался с очередной возлюбленной, ему очень хотелось подарить ей что-нибудь на память. И тогда он брал с дороги обычный камешек и говорил:

— Лунноликая, ты знаешь, у меня ничего нет. Так пусть этот камешек напоминает тебе обо мне.

И лунноликая клала этот камешек в ларец и хранила его как самое большое сокровище. А когда ей было очень уж тоскливо, она открывала ларец и, глядя на этот камушек, вспоминала о своем возлюбленном.

Вещи ценны не своей стоимостью, выраженной в рублях или долларах. Они дороги нам как память о людях, живых и ушедших, о встречах с ними и о событиях, свидетелем или участником которых был и ты сам.

С вещами можно беседовать. Смотреть на них и молча с ними разговаривать. Они о многом могут напомнить. Даже о том, о чем ты и сам, казалось бы, успел забыть...

ПЕСТРЫЕ ИСТОРИИ

Всякие истории и байки травят не только актеры. Но я что-то не слышал, чтобы в каком-нибудь ЖЭКе или НИИ существовала Академия травильщиков. А у нас вот существовала, я уже писал о ней. Нам, актерам, сама профессия велит постоянно играть: выдумывать этюды, произносить монологи, фантазировать или, лучше сказать, импровизировать. Это своего рода тренировка профессиональных навыков.

Мы травим в компаниях, в дружеских беседах, да везде, где собираемся больше одного: один рассказчик, один слушатель, и этого вполне достаточно. Я рассказывал многим о многом. И вдруг увидел, что мои рассказы возвращаются ко мне в газетных и журнальных публикациях, в пересказах других людей, но в искаженном виде — совсем не в том, как рассказывал я. Иной раз я их просто не узнавал.

И это тоже одна из причин, по которой я решил написать книгу: пусть все-таки будет хоть первоисточник, так сказать, канонический текст.

Один мой рассказ, под названием «Судьба», использовал даже мой друг Миша Евдокимов. Правда, в отличие от других, он не приписывает себе авторство, а всегда честно говорит:

— Так мне рассказал Дуров.

Эту историю, случившуюся с бабой Клавой, можно смело отнести к трагикомическому жанру.

Когда я жил на Филевском парке, то часто выходил туда гулять с маленькой Катей. Там все друг друга знали, раскланивались, хвалили чужих детей — все, как и положено. И была там баба Клава, которая гуляла с внуком. Это была умная, необычайно полная женщина. Она жила в соседнем доме, который стоял перпендикулярно нашему.

И вот выхожу я как-то из дома и вижу: стоит на табуретках гроб, а вокруг маленькая толпичка людей. Я подошел поближе, смотрю — в гробу лежит баба Клава. Обычай такой: ставят во дворе гроб, чтобы все знакомые могли проститься с покойником. Узнаю всех бабушек, с которыми она сидела на скамейке у подъезда и гуляла по парку.

Я простился с бабой Клавой и обернулся к мужчине, который стоял рядом.

— Жалко,— говорю.— Что с ней было-то — сердце?

— Да нет,— отвечает,— внук за жопу укусил.

И тут я вижу — на углу дома, в кустах, стоит толпа. Я думал, люди в ней рыдают, а они хохочут. Мне это показалось странным и я подошел поближе. Гляжу, мужики слезы вытирают.

— В чем дело? — спрашиваю.

— Ну, вам, видно, уже сказали...

— Сказали,— говорю,— но что-то странное.

И тогда мне один мужик пояснил:

— Ну, у вас, как и у нас, коридорчики совсем узенькие, и в туалет не сразу влезешь. А баба Клава-то женщина была полная. И чтобы протиснуться, она сперва принимала подготовительную позу, а потом уже задом входила в туалет. Вот она приготовила свою позу и не заметила, что на унитазе сидел ее внук. И когда он увидел, что на него надвигается что-то большое и страшное, он испугался и с перепугу укусил бабу Клаву за задницу. А уж бабу Клаву, тоже от испуга, хватил инфаркт, и она тут же скончалась.

Вот уж действительно и смех и грех. И вот живет теперь вместе с нами этот внук-убийца, которому, конечно же, не рассказали, что его родная бабушка скончалась от его зубов.

Здесь Евдокимов добавляет от себя замечательную реплику: «Видишь, укусил вон куда, а отдалось где? Судьба...»

Нет, все же удивительная у нас страна — в ней все на контрастах, парадоксах, крайностях!

Вот я недавно был в Канаде и ни разу там не улыбнулся! Там никто не шутит, никто не улыбается, никаких анекдотов, никаких дурацких ситуаций. У них этого просто не может быть. Не то, что у нас...

Когда я играл Анастаса Микояна в фильме «Серые волки», мы поехали сниматься в Завидово — это правительственный заповедник. Там начинается сцена охоты на волков. Никто, конечно, никаких волков не убивает. Их сшибают снотворным, обливают красной краской, и они спокойно лежат. Спят.

Стою я как-то и чего-то жду. А рядом топчется какой-то человек в телогрейке. А за отворотами телогрейки вижу на нем синий мундир. А солдатская ушанка сидит на нем как генеральская папаха. Весь подтянутый, красивый, и у него такое замечательное лицо: загорелое, здоровое. И его южный загар резко контрастирует с белым-белым снегом. И вот этот красавец долго топтался вокруг меня, пока я не выдержал и не спросил:

— Вы что-то хотите мне сказать?

А он и спрашивает:

— Константиныч, ты знаешь, кто я такой?

— Нет,— говорю,— не знаю.

— Я егерь Политбюро.

— Прости,— говорю,— но Политбюро уже сто лет как нет.

— А вот про меня забыли.

Вытаскивает трудовую книжку и показывает. Читаю и действительно: «Главный егерь Завидовского заповедника».

— Вот,— говорит,— вы про Хрущева тут снимаете, а ты знаешь, что Хрущев мне чуть всю жизнь не искалечил? Сейчас поймете, о чем идет речь.

И пока он рассказывал мне свою историю, я и плакал и губы себе перекусал. Перескажу эту историю так, как я ее запомнил.

«Помните,— начал он свой рассказ,— когда Вальтер Ульбрихт был у нас в России самым дорогим гостем? Никита всегда встречал его как родного. Уж и не знаю, чего он так полюбил его. Бог с ним. И вдруг звонок: Хрущев с этим Ульбрихтом приезжают на заячью охоту. А зайцев у нас в заповеднике нет! Что делать?

Ну, мы привыкли ко всему. Приезжают члены Политбюро, им солдаты выталкивают оленей, кабанов, кому что нужно. Они их стреляли и хвастались потом своими охотничьими трофеями.

Делать нечего, поехал я в соседнее хозяйство поменял на бутылки зайцев и привез их в клетке. А зайцы, паразиты, оказались очень хитрыми и умными. Они ночью умудрились открыть эту клетку и удрали.

Утром мне говорят:

— Слушай, главный, нет зайцев — все ушли.

— Братцы,— говорю,— что же будем делать?

А в это время слышу: «Вау! Вау!» — сирены орут. И едут с мигалками «членовозы». Я выбегаю навстречу и уже понимаю, что мне сейчас будут кранты, зная крутой характер Никиты. И вот машины останавливаются и вылезает из своей Никита. Я поприветствовал его и говорю:

— Никита Сергеевич, знаете, сейчас не сезон, и зайцев в заповеднике нет.

Тут он побагровел и стал топать ногой. Кричит:

— Как нет?! На Руси нет зайцев? Да я тебя сгною! У тебя дети попросят хлеба, а знаешь, что ты им дашь? Вот что ты им дашь!

И показывает определенный жест, что я им дам.

Короче, орал он, орал, орал, а потом и говорит Ульбрихту:

— Пошли!

И они зашли в охотничий домик.

Я стою и думаю: «Действительно, он меня, конечно, выгонит, а что я детям дам?..» И тут мне в голову приходит потрясающая идея.

Я вспомнил, что у нас в баньке висят заячьи шкурки. Какого черта они там висели — понятия не имею. Но я подумал: поймаем на помойке кота, зашьем его в шкурку и выпустим под стволы. Все равно руководители сейчас напьются и ни хрена не поймут. Так наш номер и пройдет.

Послал я ребят на помойку, они поймали одного голодного кота сеткой и зашили в эту заячью шкурку. Но, как известно, коты очень своенравные животные, самолюбивые и страшно обижаются, когда над ними измываются».

Здесь я перебью рассказ егеря и в подтверждение слов рассказчика расскажу историю своего кота Марта. Это был замечательный кот. Его кто-то выбросил из форточки в марте (отсюда и его имя), мы его подобрали и выкормили из пипетки. Это был преданный дому кот.

А тут как раз был юбилей Юрия Никулина, и мы с котом пошли его поздравлять. Март должен был читать приветственный адрес юбиляру. Я был уверен, что кот прочтет. Мы вышли с ним на сцену, и как я ни пытался заставить его читать, он отказывался. Я его стыдил:

— Как же так! Мы с тобой репетировали дома, и ты прекрасно читал. Ну тогда просто скажи Юрию Владимировичу, что мы поздравляем его с юбилеем. Ну, скажи!..

Кот, конечно, молчит. Тогда я говорю:

— Ну, скажи просто — Юра!

Он опять молчит. Мы уходим с ним за кулисы. А у меня уже была приготовлена кровавая рубашка, а на теле мне нарисовали кровавые полосы. И через секунду я вылетал из-за кулис, как бы истерзанный котом. Брал с пола приветственный адрес и зачитывал его. Успех был ошеломляющий. Даже Карандаш сказал:

«После Дурова я не выйду на сцену». Хотя у него поздравление было с живым крокодилом.

Да, но мой кот Март жутко обиделся на публичное оскорбление и ночью исчез. Больше я его не видел...

Прошу прощения у егеря, что я его перебил.

«Так вот,— продолжал егерь,— когда мы зашили кота в заячью шкурку, его вроде как бы парализовало. Он, видно, не мог понять, что с ним делают. Получился этакий котозаяц. Он не бежал, не прыгал, а мог только ползти.

Значит, после этой процедуры иду я в охотничий домик. Стучусь. Захожу.

Никита увидел меня, нахмурился.

— Чего тебе? — спрашивает.

— Зайцы,— говорю,— появились.

— Ну вот! А ты говорил, что зайцев нет! Ульбрихт, пошли!

Они хватают ружья и выскакивают на крыльцо. И видят, ползет это чудовище — котозаяц. Они вскидывают стволы и — бах! бах!

И вдруг этот заяц: «Мя-а-у!» — и на сосну. Ульбрихт от такой сцены упал в обморок. А Никита орет:

— Второй раз Германию победили! Завалили немца!

Тут вызвали «неотложку», Ульбрихта увезли, а Никита еще три дня пил в этом домике. И каждое утро выходил, чтобы посмотреть на кота, который сидел на ветке и боялся спуститься вниз.

— Все сидишь? — спрашивал его Никита и предупреждал охрану: — Вы мне этого зайца не трогайте. Не стреляйте в него. Он мне второй раз Германию победил!

На третий день «заяц» пропал, видно, все-таки сполз от голода. А Никита, уезжая, все спрашивал и наказывал:

— Вы запомнили его? Смотрите, не стреляйте.

А потом по распоряжению Никиты мне выдали премию. Правда, не знаю за что.

А еще позже Никита рассказывал, как он был в больнице у Ульбрихт и тот сказал: «Никита, какой же дурак был Гитлер, что пошел на державу, где зайцы по соснам лазят».

Я рассказал эту историю так, как запомнил. Потом ее где-то перепечатали и, как обычно, все перепутали и переврали. Как переврали и другую историю, свидетелем которой я был сам. А если не верите, спросите любого из труппы, с которой в это время приезжала Галина Сергеевна Уланова в Осташково. Они снимали там в это же время фильм о великой балерине, которая родом откуда-то из-под Осташково. Местные жители запомнили ее как прекрасную, скромную женщину, которая никогда не рассказывала о своих успехах, наградах, триумфах. Она просто говорила с людьми о жизни, о женских проблемах, о детях. И нельзя было даже заподозрить в ней великую актрису, неподражаемую балерину.

Так вот вторая история, чем-то напоминающая первую, такова.

Мы снимали дом в Осташкове. А в те места каждый год приезжали иностранцы — охотники на медведей. Они платили за лицензию какие-то большие суммы. А если заваливали медведя, то должны были заплатить, если не ошибаюсь, что-то около десяти тысяч марок. В основном приезжали немцы из Западной Германии.

Вот как-то приехал такой немец, поселился в гостинице Осташкова и ждет, когда ему найдут медведя в берлоге. Он живет, а медведя все никак не найдут. Нет медведя! А срок лицензии кончается, и десять тысяч марок накрываются медным тазом. Что делать?

И тут кто-то вспомнил: в соседнем городе работает цирк, и у него есть медведь, у которого обнаружили катаракту, и поэтому он уже не может работать, и его решили усыпить. И умные ребята решили: все равно ему погибать, поедем возьмем его для дела.

Приехали, посмотрели. Медведь, действительно, сидит грустный в клетке. Ну они расплатились за него водкой и привезли к себе.

Тут же доложили немцу, что наконец-то медведя прикормили на овсах и завтра надо идти на охоту.

Немец затемно залег в овсах со своим ружьем и ждет. Егеря сняли с медведя намордник и выпустили. Ну, Мишка, наверное, подумал, что начинается спектакль и пошел на задних лапах, как по манежу. А передними размахивает и кланяется во все стороны.

А тут тропинка была, и по ней ехала дачница на велосипеде с авоськой, в которой лежали продукты. Она увидела этого медведя — брык! — бросила велосипед и кинулась бежать. Медведь не погнался за ней. Он спокойно подошел к велосипеду, поднял его и поехал.

Этот немец два месяца пролежал с инфарктом в реанимации в осташковской больнице. Потом его перевезли в Калинин.

Не знаю, чем закончилась история с марками, но, думаю, немцы надолго запомнили и заячью, и медвежью охоту.

Да что иностранцы! Для них всякое русское животное — экзотический экземпляр. Но мне самому всю жизнь попадаются странные животные. С отклонениями.

Вот помню случай, который произошел со мной, когда я еще учился в Школе-студии. Мы всем курсом выехали как-то в Подмосковье к кому-то на дачу. Развеяться. И вот во время пирушки я увидел мирную буренку и решил изобразить перед ней тореадора.

Это уж потом, лет через тридцать, я прочитал, что корова опаснее быка, потому что она во время атаки глаза не закрывает, а быка тореро практически водят за нос.

Так вот, паясничал я перед этой буренкой, паясничал, ей, видно, это осточертело и она прыгнула на меня. И я в тяжеленном дядюшкином пальто рванул стометровку, как Джонсон. Сзади что-то ударило по голове, я упал лицом в траву и решил, что меня забодали. Встал на колени и понял, что вдобавок ослеп. Пощупал лицо рукой — что-то не то. И снял с лица... засохшую коровью лепешку, в которой четко отпечатался мой барельеф, как посмертная гипсовая маска Петра Первого.

Однокурсники торжественно повесили «навозный барельеф» на гвоздик, открыв «буренкинско-дуровский мемориал».

А буренка, сказали мне, вовсе и не пыталась за мной бежать. Просто она не привыкла видеть перед своими глазами фиглярство и прыгнула, чтобы пугнуть меня. А на «финише» я наступил на грабли, и удар пришелся точно по затылку.

Кто-то из студийцев запечатлел этот исторический момент. Это был прекрасный кадр! Кстати, когда я смотрю на эту фотографию, то всегда вспоминаю анекдот.

«Новый русский» гуляет с сыном по парку и останавливается возле художника, рисующего пейзаж. Встав за спиной мастера, «новый русский» назидательно говорит наследнику:

— Видишь, как мужик без «полароида» мучается...

Но это к слову. Я ведь хотел рассказать о странных животных.

Однажды приехали мы со съемочной группой в деревню Гущи на озере Селигер. Там должны были снимать эпизоды одного фильма. Все идет хорошо. Работаем. И вот как-то ребята мне говорят:

— Лева, ты вон в ту избу пойди. Там живет замечательная тетя Сима, она молоко парное дает с черным хлебом. Вкусно!

Я и пошел. Открываю калитку, вхожу во двор... Вдруг из-за угла выскакивает корова, по-собачьи бросается в мою сторону и... лает! Лает на меня, как пес цепной, и все движения у нее собачьи. Бог мой!

Я вылетел на улицу, упал в пыль. Вслед за мной выскакивает эта самая тетя Сима и орет, сначала мне:

— А, артист! Испугался! То-то же! — Потом корове: — Пойдем, Милка, домой!

И Милка, как собака, мирно пошла за ней.

Что же оказалось? Тетя Сима — сама алкашиха и корову свою споила: каждый день подливала ей в пойло самогон. Хмельная корова общалась только с одним живым существом — с хозяйской собакой. С пьяных глаз и стала ей подражать. А потом у коровы высохло вымя, она вконец утратила «национальное самосознание», научилась лаять и бросаться на чужих.

Но это все наши, отечественные животные. Так сказать, родные. И какими бы странными они ни были, мы, соотечественники, в отличие от иностранцев, всегда можем понять их психологию. Но нам трудно понять поведение, если можно так сказать, животных-иностранцев.

Правда, случай, происшедший со мной в Латинской Америке, наверное, все же связан с чертовщиной, с ведьмачеством. И животное здесь действовало под чьими-то колдовскими чарами.

Сам я к «потусторонним явлениям» отношусь скептически. Но однажды мой скепсис был подвергнут серьезному испытанию.

Это было в Мексике. Мы снимали фильм. И как-то утром режиссер собрал всю русскую группу и говорит:

— Сейчас мы едем в город Катемака. Только что там закончился слет черных ведьм. Я умоляю отнестись к моим словам серьезно: если кто-то из вас вдруг заметит на себе пристальный женский взгляд — отворачивайтесь и бегите!

Провели мы в этой Катемаке нормальный рабочий день. А после съемок я решил сфотографироваться на память. Там в массовке снимался один местный парень на настоящей ковбойской лошади. Я попросил у него — для экзотики — сомбреро и пончо, нарядился и взгромоздился на седло. Лошадник я старый, ездить верхом умею, лошадей знаю и чувствую хорошо. Эта лошадка была смирная, рабочая, у меня — ни шпор, ни хлыста. Приосанился я и говорю кому-то из наших актеров:

— Фотографируй!

И вдруг моя савраска мексиканская начинает пятиться, пятиться... и втискивается вместе со мной в невероятно узкую щель между какой-то бетонной стеной и толстенной пальмой! Резким движением поворачивает ко мне морду и со всего маху ударяется головой о пальму! Делает стойку и заваливается назад. Понимаю: все, конец — сейчас на меня рухнет махина в полтонны весом... И мы падаем! Рядом!

На следующий день приходит ко мне в номер наш оператор Толя Мукосей и спрашивает:

— Слушай, когда вчера в Катемаке снимали, говорят, лошадь на тебя завалилась. И где ты лежал?

— Между бетонной стеной,— говорю,— и пальмой.

— Точно?

— Ну, а как же! Я от пальмы отжимался, что было сил, и головой упирался в стену. А чем ты озабочен?

— Ты,— говорит,— там не мог лежать. Мне показали это место — там даже лошадь одна не помещается.

В ближайший выходной поехали мы с ним в Катемаку. Взяли операторскую рулетку. Замерили. Точно! Пространство настолько узкое, что там и жеребенок не уместился бы — ширина седла, не больше. Ни бетонную стену, ни пальму отодвинуть, сами понимаете, невозможно... Но я там лежал! Рядом с лошадью!

Режиссер объяснил невероятное происшествие так:

— В массовке явно была ведьмачка, это ее работа. Вы же громче всех подшучивали над моими предупреждениями. Вот она вас и напугала.

С другим артистом из нашей группы неприятность приключилась похлеще моей. У него, когда мы вернулись из Мексики в Москву, дикие боли в сердце начались. Просто умирал! Врачи ничего понять не могли, никакой болезни не находили. Продолжалось это около года. А потом ему один художник посоветовал, специалист по магии и чертовщине всякой: мол, в момент приступа постарайся как можно более ясно представить крест. Большой, деревянный. И пусть этот крест в твоем воображении вспыхнет.

Больной так и сделал. И все прошло. В одну секунду, после года бесполезного лечения и мучений.

Но я так до сих пор и не понял: то ли действительно мексиканские ведьмачки такие зловредные, то ли эта ковбойская савраска оказалась со странностями. Все-таки, что ни говорите, а иностранные животные здорово отличаются от наших и характером, и поведением.

Вот с нами в семье живет кот Миша. Правда, он не лает, как корова тети Симы, но его и так все боятся: он огромный, как рысь, и умный, как человек. Мы долго не знали, что это за порода. А потом мне попался кошачий журнал, и выяснилось, что Миша — иностранец: «норвежский лесной». Представляете? Любит холод, ласки презирает. И все время норовит показать, кто в доме хозяин. К любому гостю прыгает на колени, сидит и смотрит прямо в глаза с таким выражением: «Ну, ты понял, к кому пришел? Ты не к Дурову в дом пришел, а ко мне. И веди себя соответственно».

Иногда я думаю: может, те мирные животные, которые меня чуть не забодали, не зашибли, мордой в свои «лепешки» тыкали, вовсе и не странные? Может, они мне мстят за то, что я изменил фамильной традиции? Ну как же! Два Дуровых, Владимир и Анатолий, прославились как цирковые артисты, великие дрессировщики, Наталья Дурова — руководитель театра зверей. А я прервал эту традицию, когда ушел в драматический театр. А тут еще слегка подправил родовой герб Дуровых.

Герб такой: два льва с двух сторон держат золотой щит, на котором изображен черный орел с красным змием в когтях. Так я — как первый в роду актер — красного змия в зеленый перекрасил. И змия даже обидел! Но змеи пока еще — тьфу, тьфу! — меня не кусали. А вообще говоря, смертельные опасности подстерегали меня с самого детства.

Однажды, сразу после войны дело было, один контуженный офицер стрелял в меня буквально в упор. Манией преследования страдал. Три пули просвистели в сантиметре от лица! Как он умудрился их в меня не влепить — не знаю. Какой-то военный мимо проходил, прыгнул на этого сумасшедшего, повалил...

А когда в городе Переславле-Залесском снимали фильм «Не валяй дурака!», я опаздывал на очередную съемку. Шел проливной дождь, и я мчался на своих «жигулях» со скоростью сто сорок километров в час. И на таком ходу у меня вдруг взорвался баллон. Автомобиль сто метров крутило по шоссе — я гравий весь снес! Как встречные машины от меня уворачивались, до сих пор понять не могу. С дороги улетел так далеко, что, когда потом машину вытягивали, одного троса по длине не хватило. От шины только лохмотья остались. Но — миновало.

Я вот ворчал на Иру Мирошниченко, что она очень рискованно ездит, а ведь и сам не могу ездить медленно. Нарушаю все, что можно нарушить. Друзья садиться ко мне в машину отказываются. Больше одного раза никто не выдерживал.

Я как-то Москву американской актрисе показывал — возил ее по городу целый день. Она потом директору нашего театра письмо прислала с такими строчками: «Кланяйтесь господину Дурову и передайте ему, пожалуйста: красный сигнал светофора означает, что нужно остановиться, а не ехать быстрее. Я хотела бы в следующий раз увидеть этого актера целым куском».

То же самое мне не раз пытались объяснить и гаишники. Но я нашел оружие против ГАИ — безотказное. Меня чуть ли не каждый день тормозят и, когда я выхожу из машины, узнают сразу же и говорят со вздохом:

— Ну, Дуров, что делать будем?

А я отвечаю:

— Милиционер, давай обнимемся!

Срабатывает моментально и всегда! Главное — не произносить пошлых фраз типа: «Командир! Не стыдно артиста грабить?» Меня один замечательный гаишник как-то раз на всю жизнь от такого обращения с милицией отучил. Знаете, что ответил?

— Лев Константинович Дуров! Я вас очень уважаю как профессионала. Позвольте же и мне быть профессионалом на своем месте! — А потом еще добил, крикнув вслед: — Берегите себя! Вы нам очень дороги!

А что — опасность? Так ведь судьба везде настичь может. И на сцене тоже, кстати сказать.

Мы с Леней Каневским играли когда-то в пьесе Саймона «Весельчаки» двух старых эстрадных артистов, которые всю жизнь ссорились. И вот на одном из спектаклей, как раз когда на сцене у героев разыгрывается очередной скандал, мимо наших с Каневским носов, едва их не касаясь, падает деревянный брус — двадцать сантиметров шириной, семь метров длиной!

Я вижу, у Лени ноги отнялись. Он стоит и слова сказать не может. Что делать? Перешагиваю через брус и, обращаясь в зрительный зал, говорю:

— Вот вам всем кажется, будто самое мирное место на земле театр, а актер — самая безопасная профессия. Теперь вы поняли, что это не так?

И непонятно, кто говорит: Лев Дуров или герой пьесы, тоже артист. Многие, кажется, и в самом деле поверили...

А в ложе сидел наш друг Слава Третьяк. После спектакля заходит он в гримерку и говорит:

— Ну класс, ребята! Этот трюк с бревном у вас гениально отработан. Как вы не боитесь? Такая махина рядом с лицами падает!

А когда мы ему объяснили, что на самом деле произошло, он весь белый стал. Это Третьяк! Мужественный человек, который, стоя на коньках, ловил «кирпичи»...

Поскольку я упомянул имя Славы Третьяка, тут уж никак не избежать разговора о спорте.

Чем я только не занимался! Боксом, фехтованием, хоккеем, футболом и даже воздухоплаванием. Да-да, и не в качестве пассажира авиалайнера,— я самостоятельно вел воздушный шар с пассажиром на борту.

Но неизменная моя любовь, конечно же, футбол. Я играл за прекрасную команду Московского художественного академического театра. Так она и называлась — команда «МХАТ». А то, что она действительно была сильной, говорит хотя бы тот факт, что во главе ее стоял капитан Николай Николаевич Озеров. Чемпион страны по теннису, в футбол он играл за первую клубную «Спартака». Его уважали все судьи, потому что он играл тактично, элегантно, был истинным интеллигентом на поле. Когда в игре создавалась сложная ситуация и судья вел себя в ней некорректно, Озеров делал ему серьезные замечания, и тот ничего не мог ему возразить.

Мы играли за Райсоветы на первенство Рабис — работников искусств. У меня даже сохранился диплом за 2-е место в этом первенстве.

Я играл очень цепко. Когда мы начинали проигрывать, Николай Николаевич,— а тогда мы его звали просто Коля — говорил: «Оттянись назад». Это чтобы я ушел в защиту. И тут уж я стоял насмерть, и никогда не допускал, чтобы противник прорвался к воротам. Поэтому и противник меня не жаловал и относился ко мне с нескрываемой неприязнью.

Как-то в раздевалке, когда мы переодевались на игру, я услышал такой короткий диалог:

— Седой играет?

— Играет.

— Убью!

Но меня это мало волновало.

В команде «Красный факел» нападающим был Лобов, здоровый, могучий малый. И так получилось, что в игре с этой командой я однажды провалился. Смотрю, этот Лобов выходит один на один с нашим вратарем. Голевая ситуация! По моей вине! И тогда я разворачиваюсь и — за Лобовым. Но вижу, я его уже не догоняю, и думаю: лучше пенальти, чем чистый гол. А пенальти, может быть, еще и не забьют. Бросаюсь в прыжке, хватаю Лобова за бедра и оказываюсь на газоне. И тут вижу, что-то у меня зажато в руке. Лобовские трусы! Поднимаю голову, а впереди мелькает что-то розовое. А на трибунах стоит дикий хохот и раздается свисток.

Лобов играл без бандажа и без плавок, и вдобавок у него была укороченная маечка. И вот в таком виде он продолжал бежать к нашим воротам. Что делалось на трибунах, нельзя и вообразить!

Команда «Красный факел» растерялась и, вместо того, чтобы прикрыть товарища и надеть на него трусы, стала вводить в трусы, как лошадь в оглобли. Потом все же привели его в божеский вид, но с этого момента Лобов как игрок пропал. Как только он выходил на поле, все кричали:

— Лобов! Трусы держи!

Потом он куда-то исчез. А меня за хулиганские действия на поле дисквалифицировали. Но Озеров сумел доказать, что в моих действиях не было ничего хулиганского — произошел несчастный случай. И меня вернули на поле.

Смех смехом, а в историю футбола я все же вошел.

В том матче я играл в защите. И вот вижу — идут на меня такие же, как Лобов, два валуна, два нападающих. Создается ситуация, которая называется «коробочка». Это когда два игрока сходятся на игроке противника, он оказывается между ними и уже не может продолжать игру. Смотрю, чистая «коробочка». Озеров кричит:

— Осторожно!

А эти здоровенные прут, как танки. Ну, думаю, сейчас они в порошок меня сотрут. А обгоняя их, идет на меня навесной мяч, ударяется о поле и летит в мою сторону. Я, не долго думая, оттягиваю на трусах резинку и ловлю этот мяч. Нападающие обалдели, затормозили и не знают, что делать — мяч-то у меня в трусах! Пока они стояли с раскрытыми ртами, я проскочил между ними и рванул к воротам противника. Трибуны буквально осатанели!

И вот я, беременненький, бегу, а рядом со мной бежит судья. Смотрю на него, а он не свистит,— я ведь мяч-то руками не трогал! И он не знает, что делать. Вот такая ситуация.

Вот так мы с ним бежали, бежали, потом он все же свистнул. Мы остановились, и он говорит:

— Вынимай!

— Вынимайте сами,— предлагаю и стою животом вперед.

В конце концов, делать ему больше нечего, и он вынул у меня мяч. И объявил почему-то «спорный». Ну, тут на трибунах такое поднялось!..

А через несколько дней мне дали вырезку из «Советского спорта». Там было сказано, что вот на стадионе «Локомотив» произошел курьезный случай: игрок команды «МХАТ» Лев Дуров неожиданно поймал мяч в форму. (Решили, видно, что слово «трусы» прозвучит неблагозвучно). И продолжал движение к воротам. Судья долго не мог принять решение и наконец объявил «спорный». Наверное, писал автор, он был прав, так как игрок не касался мяча руками. По всей вероятности, предложил журналист, в футбольные правила надо ввести параграф, запрещающий игру формой. Так я нечаянно-негаданно скорректировал футбольные правила.

А с воздухоплаванием у меня такая история произошла. Мы снимали картину под названием «День ребенка», где я играл гангстера. Во время детского праздника мы воровали ребенка, чтобы получить за него выкуп. Мы-то думали, что своровали принца, а на самом деле утащили нашего российского мальчишку. За нами гналась погоня, и я должен был сесть с этим мальчишкой в корзину воздушного шара и улизнуть от этой погони. Нужно было снять только взлет, начало полета.

Стало быть, привезли этот шар и стали его накачивать горелками. А надо сказать, спортивная команда воздухоплавателей, которая помогала нам в этой сцене, была очень серьезная. Командир нашего шара был даже чемпионом Европы. Значит, шар накачивают, а вся группа держит его за фал, чтобы он не взлетел раньше времени.

— Мотор! Начали!

Я хватаю ребенка, и мы прыгаем с ним в корзину.

— Бросайте фал! — кричу.

Все, как горох, рассыпались, остался висеть один фотограф — он был очень тучный и не такой ловкий, как остальные. Прыгнул он уже метров с четырех и вывихнул себе голеностоп. А мы с мальчиком полетели.

Смотрю вниз: и группа вся исчезла, и роща, где мы снимались. А шар плывет по ветру незаметно, только видишь, как под тобой меняется ландшафт. И вот мы летим, летим, летим. А я в огромной широкополой шляпе — как-никак гангстер. Проплываем над какой-то деревней, и мне кричат:

— Эй ты, в шляпе! Давай садись сюда к нам!

А я вижу, что мы вот-вот врежемся корзинкой в дома и начинаю орудовать горелкой. Шар поднимается, мы перекатываемся через эту деревню и летим прямо на высоковольтные провода. Страшная вещь! Я уже не за себя волновался — за мальчика. И смотрю — самолеты взлетают: где-то рядом аэродром. Тут я уж совсем расстроился. Ну, думаю, сейчас в нас врежутся...

Не знаю уж, какой силой воли я заставил шар опускаться на замеченный мною пятачок. Успел крикнуть мальчику:

— Распнись!

Мальчонка оказался сообразительным. Он ухватился за веревочные петли и прижался к стенке. Слава Богу, мы опустились благополучно.

Подъехали местные жители на велосипедах, на мотоциклах. Стали гасить купол, чтобы он не уволок нас по земле. А тут подъехала и команда настоящих воздухоплавателей. Шар свернули и сказали, чтобы завтра я явился с ящиком шампанского.

Я явился. Меня сфотографировали на фоне корзины и выдали роскошный диплом, в котором на английском языке было написано, что мне присваивается звание «Брат ветра», за то что я в течение двадцати минут самостоятельно вел шар и благополучно посадил его.

Мои воспоминания с спорте много потеряют, если я не расскажу о своем друге Петюнчике. Он занимался наукой, но я знал, что он бывший спортсмен. И почему-то все его звали Петюнчиком.

Это был удивительный человек, который ни минуты не мог прожить нормальной спокойной жизнью. Он постоянно играл и кого-то разыгрывал. Без этого он просто не мог. Вдруг останавливался на улице, смотрел вверх и замирал.

— Вон, вон, вон...— начинал он бормотать.— Боже! Боже, это же надо!..

Вокруг него собиралась толпа, все смотрели вверх и вправду что-то начинали там видеть. Какой-то кошмар! А Петюнчик отходил в сторону и наблюдал за всем этим как случайный прохожий.

Этот странный человек никому не давал покоя — ни на улице, ни в трамвае, ни в автобусе. Задавал какие-то дурацкие вопросы, кого-то узнавал.

— Боже мой, сколько лет, сколько зим! Сколько же мы не виделись?

Человек, к которому он привязался, мучительно пытается вспомнить, где он мог видеть этого типа. Но Петюнчик ему сам напоминает:

— Ну как же! Помнишь, мы с тобой на Белорусском фронте...

Все смотрят на них и ничего не понимают: они и по возрасту-то ни на каком фронте не могли быть. А Петюнчик с такими подробностями вспоминает их окопную жизнь, что тот и в самом деле начинает верить про Белорусский фронт и что он воевал. И тут люди начинают смотреть на них с уважением: как же, друзья-однополчане встретились после стольких-то лет! А те уже и обнимаются, и целуются, и все прочее. Вот такой вот Петюнчик.

Как-то звонит:

— Лев, в Лужниках сегодня легкоатлетические соревнования дружественных армий. Нужно обязательно пойти. Будет очень интересно.

И мы пошли. Заняли на трибуне места и тут объявляют, что в забеге будет участвовать чемпион мира Владимир Куц. И Петюнчик спрашивает громко, чтобы все слышали:

— Лев, Куцый — это какой?

Я говорю:

— Не Куцый, а Куц. Вон на третьей дорожке стоит.

— Послушай, как же он может бежать? — удивляется Петюнчик, опять же громко, чтоб все слышали.— Он какой-то кривоногий. Да разве он бегун?

Все вокруг похихикали. И тут выстрел стартового пистолета, а Петюнчик продолжает комментировать:

— Смотри, ведь он уже задыхается. Какой же это чемпион мира? Да он уже и бежать не может — все время спотыкается и спотыкается!

Зрители начинают роптать:

— Успокойтесь, ради Бога! Если ничего не понимаете в легкой атлетике, нечего было приходить на стадион. Что вы лезете с вашими идиотскими комментариями? Сидите и молчите!

А Петюнчик не унимается и продолжает:

— Да нет, вы посмотрите: у него и форма какая-то не такая, и трусы, по-моему, только вчера сшили. Нет, нет, не годится! Вот смотрите, смотрите — задыхается! Совсем отстает, отстает!..

Тут уж вся трибуна начинает раздражаться, а он все комментирует, комментирует и уже слов не находит, как бы еще унизить этого самого «Куцего»: и какой он кривоногий, никуда не годящийся, и фамилия у него настоящая — Куцый.

Чувствую, публика начинает нас ненавидеть. А бегуны проходят еще несколько кругов, и вот Куц отрывается ото всех.

— Ага, отрывается! — кричит Петюня.— Он еще метров сорок пробежит и умрет! Ага, вот смотри — уже все: спотыкается, спотыкается!..

И уже вся трибуна:

— Да заткнись ты!!!

Я говорю:

— Сейчас нас будут бить.

— Ну пускай бьют! — кричит Петюня.— Если они ничего не понимают в легкой атлетике, чего они сюда приперлись? Ну вот, смотри, смотри!

Тут Куц рвет ленточку и объявляют новый мировой рекорд. А Петюня возмущается:

— Да это же все по блату! Это же все подстроено! Все бежали гораздо лучше, но специально стали отставать!

А я чувствую, что живыми мы отсюда не выйдем. А в это время Куц совершает круг почета, бежит мимо нашей трибуны и Петюнчик кричит:

— Володя! Володя!

Куц поворачивает голову.

— Петя!

Перепрыгивает через турникет и через всех зрителей лезет к нам. Трибуна замерла. Куц расцеловался с Петей, поздоровался со мной, сел рядом и спрашивает:

— Ну, как я бежал?

— Замечательно! И такой колоссальный отрыв! На такой дистанции!

А он:

— Да ну, Господи! Есть еще силы.

И тут вся трибуна начала от нас отползать, отползать...

— Петь,— спрашивает Куц,— а у тебя как дела?

— Да вот работаю.

— Не думаешь вернуться в спорт?

— Да какой там спорт. Годы не те.

— Ну, ладно. Пока. А то там тренер, наверное, уже психует: где я, где я!

Они обнялись, расцеловались. Куц спустился на дорожку и побежал. И Петюнчик опять, чтобы все слышали:

— Ну что, все? С Вовкой повидались, поехали домой. Давай возьмем бутылочку и выпьем за его здоровье.

Сквозь гробовую тишину мы прошли с Петюнчиком всю трибуну и поехали домой.

Читатель, конечно же, не мог не обратить внимания на возвышенные эпитеты, которыми я награждаю своих друзей: изумительный, замечательный, прекрасный...

Но что делать, если я именно так отношусь к ним. Они у меня действительно изумительные, замечательные, прекрасные. А тогда какой же друг, если он ни одно, ни другое и не третье?

«НЕ ЗАЗРИТЕ МОЕМУ ОКАЯНСТВУ»

«Еще одно, последнее сказанье — и летопись окончена моя. Исполнен долг, завещанный от Бога мне, грешному».

Вот подходит к концу моя книга, и меня начинают обуревать грустные мысли. Трудно, очень трудно писать книгу воспоминаний.

Грустно же оттого, что часто вспоминаю один случай, который заставил меня задуматься над некоторыми особенностями этого рода литературы.

Раз как-то один большой режиссер попросил меня прочитать рукопись своих воспоминаний.

А надо сказать, что автора этой рукописи я уважал, и мне было просто интересно узнать, о чем он пишет, кого вспоминает.

Фолиант был солидный, но я его прочел очень внимательно. И при встрече вполне искренне сказал ему:

— О, рукопись прекрасная, изумительная, очень интересная, но только... я думал, что — «мы», а оказалось — «я».

— Вы что? — рассердился он.— А вот эту книжку вы читали? Там автор всех перечислил! Она что — лучше?

Он был так искренне огорчен, что мне захотелось его как-то утешить.

— Да,— говорю,— я сам не знаю, что лучше, а что хуже. Но, по крайней мере, человек вспомнил всех.

Он, кажется, тоже сам не знал, что лучше, а что хуже. А я и до сих пор не понял: прав я был тогда или не прав. Что же делать? Перечислять всех родственников, чтобы они не обиделись? Рассказывать биографии своих детей и внуков? Но они, наверное, сами напишут свои книги, когда придет время.

Бывает ведь и так, что дети или внуки больше напишут о предке, чем он сам о себе написал. Всякое бывает.

Растерянность и смятение охватили меня...

И не покидает мысль, что вот кто-то прочитает эту книжку и скажет с грустью:

— Левочка, вот мы с тобой столько лет бок о бок работали, а ты даже не упомянул меня.

Прости, мой друг! Но ведь ты прекрасно знаешь, что я о тебе всегда помню. Я никогда не был неблагодарным человеком. Но что мне делать?!

Какие у меня были партнеры на театрах! Сперантова, Яковлева, Дмитриева, Алферова, Талызина, Татьяна Васильева, Филатов, Волков, Мартынюк, Каневский, Лакирев, Сайфулин... Ведь если я только перечислю всех, нужна еще одна книжка.

А в кино? С кем только не снимался! С великим Смоктуновским, Джигарханяном, Куравлевым, с Полатом Бюль-Бюль оглы в картине «Не бойся, я с тобой», которая принесла нам большую известность.

И опять не перечислить всех имен. А ведь были и есть потрясающие актеры, имена которых не столь известны, но они тоже вошли в мою жизнь, в мою биографию. И они ко мне относились и относятся так роскошно, так прекрасно, как и я к ним. И я их всегда любил и буду любить.

И это вот моя главная беда: не дай Бог, думаю, кто-то прочтет и обидится, что я его забыл. Да, Господи, не забыл! Я вас всех помню и люблю! И вы знаете об этом...

А режиссеры? Я работаю сейчас в «Школе современной пьесы» у Иосифа Райхельгауза. Там я играю во многих спектаклях, и чувствую себя в этом театре очень хорошо. И как я не скажу доброе слово о директоре этого театра Марине Дружининой! Или о директоре Театра на Малой Бронной Илье Ароновиче Когане, с которым мы проработали много-много лет! Мы с ним вместе, можно сказать, не один пуд соли съели.

Вспоминаю такой случай. Я улетал ставить спектакль в ГДР, а он — отдыхать в Ялту. И вот накануне отлета, ночью, звоню ему домой:

— Илья Аронович, я вас, наверное, разбудил...

— Ничего страшного.

— Я забыл с вами попрощаться.

— Всего доброго. Уверен, что в ГДР у вас все будет прекрасно.

— Спасибо. Счастливого вам отдыха.

— Да какой отдых,— отвечает.— Вас не будет — уже скука. И еще сухой закон ввели, а у меня и для друзей, и для гостей всего одна бутылка на целый месяц.

— Елену Сергеевну,— спрашиваю,— тоже разбудил?

— Ничего. До встречи.

Утром они прилетают в Симферополь, а я встречаю их у трапа с букетом цветов и бутылкой. У них глаза стали квадратные.

— Что это?

— Да вот,— говорю,— прилетел извиниться за ночной звонок. И сейчас же улетаю обратно.— И побежал к самолету.

— Дуров! — закричала на весь аэропорт Елена Сергеевна.—Вы сумасшедший!

А все дело в том, что я прилетел на один день на съемки фильма «Человек с бульвара Капуцинов». И мой рейс был на два часа раньше их рейса.

А они, кажется, и в самом деле поверили, что я прилетел извиниться.

О многих и с многом хотелось бы рассказать, но ведь нельзя объять необъятное! Беда с этими мемуарами. Потому, наверное, я и придумал такое название для своей книги: «Грешные записки». Все равно ведь перед кем-нибудь да останешься грешным, виноватым: кто-то обидится, кто-то пожмет плечами, а кто-то, может, и выругается. Черт его знает! Ведь всем не угодишь.

Вот беда, беда, беда...

И чтобы не усугублять свои грехи, я не стал даже украшать концовку книги какой-нибудь изящной литературной сентенцией. Все равно бы это у меня не получилось. Поэтому я просто попросил своего хорошего друга Володю Качана, прекрасного артиста и отличного литератора, подарить мне вместо послесловия свой изумительный очерк, который в свое время был напечатан в журнале «Вагант-Москва». Володя отказать мне не мог.

А я, завершая книгу, могу только напомнить о том, с чего и начал: «Не зазрите моему окаянству... писал бо не ангел Божий, а человек грешен...»

На то они и «Грешные записки». Вот так.

P.S. Ах, окаянство!

Отложил было уже готовую рукопись в сторону, вздохнул с облегчением и...

А про близких-то, про родных ничего не написал:

    ни про жену,
    ни про детей,
    ни про внуков,
    ни про сестер,
    ни про шуринов,
    даже про зятя!

Ужо будет мне! Да нет, не будет. Простят. Ведь они знают, как я их всех люблю. И уповаю лишь на то, что они сами со временем напишут о себе, а я с удовольствием их почитаю.

PERPETUUM MOBILE,
или
ПОРТРЕТ Л. ДУРОВА
В ИНТЕРЬЕРЕ НАШЕЙ ЖИЗНИ.
МАСЛО. ЕЛЕЙ

Вместо послесловия

Тот, кто сказал, что вечный двигатель невозможен, не знаком, или плохо знаком, или вовсе не знаком с артистом Львом Дуровым. Я сознательно не употребляю здесь его титулов и званий по двум причинам. Первая — это то, что он для меня, как ни странно, просто Левка, причем чуть ли не со второй недели знакомства, и разница в возрасте и положении тогда этому ничуть не помешала. А знаю я его давно: без малого двадцать лет.

Вторая причина — это то, что звания у нас раньше шли по восходящей: то есть заслуженный артист РСФСР, затем народный артист того же образования, и он все эти этапы честно прошел. Потом эти звания поехали наоборот, по нисходящей: те, кто был народными СССР, опять стали народными России. И хотя некоторые титулованные артисты и требуют, чтобы их представляли не иначе, как народными артистами СССР,— это уже, скорее, похоже на акт политический, нежели тщеславный, то есть они этим тихо, но твердо протестуют против развала СССР. Дурову же это — просто по барабану. Это свойство характера, вернее, одна из самых обаятельных черт его характера. Груз его регалий на него, мягко говоря, не давит.

Редко кто называет его Лев Константинович (я был не исключением), разве что его студенты, да и те через месяц норовят перейти на «ты». Да, впрочем, и трудно вечному двигателю, согласитесь, ходить плавно и величаво и называть себя медленно и долго: Лев Константинович. Левка, да и все тут. Это вовсе не унижает его, я бы сказал больше — это ему идет. Он мобилен и легок и не трясет жировыми складками своих вкладов в русскую культуру — у него этого целлюлита вообще нет, это ему помешает двигаться, поэтому он это просто выкинул, как выкидывает все, что мешает ему двигаться. А как же еще быть вечному двигателю? Поэтому, заканчивая про нисходящие звания, скажу: он достиг сегодня звания высочайшего — просто артист. Сегодня вполне достаточно в любом концерте объявить: «Лев Дуров!», без всяких званий,— услышите, что будет. Это уже элита, спецназ актерской армии. Имя — и только.

Кстати, это и Высоцкого касается. Ведь так и ушел из жизни без звания. Никакого. Представляете! Даже заслуженного деятеля искусств не получил! Горюшко-то какое! А если серьезно, то — что Высоцкому в то время, что Дурову сейчас при нарушении каких-нибудь правил уличного движения стоило только высунуть голову из машины, как постовой начинал улыбаться и все заранее прощать — за автограф или контрамарку в театр. Причем, что в том, что в другом случае это была не просто дань популярности,— это было еще и уважение, а в случае с Дуровым — полный разрыв дистанции — какие там звания или там знакомства накоротке с самыми влиятельными людьми страны, что вы! Он прост и весел, и гаишники отвечают ему тем же. Кстати, дуровское автомобилевождение — безусловно следствие его темперамента и заслуживает отдельного рассказа.

Если кто-то заводится с пол-оборота и уже считается темпераментным, то Дуров — с намека на оборот. Вот так он и ездит. Человек, сидящий рядом с водительским креслом Дурова, может всю дорогу впечатлениями не делиться, но в конце поездки он будет чувствовать себя каскадером, которому в этот раз здорово повезло. Адреналин сопровождает Дурова. Им, вечным двигателям, без него никак. Поэтому на машине своей он периодически стукается, а через месяц эксплуатации она становится похожей на грязную мыльницу, в которую ненароком попала авиабомба. У него их и не крадут. Потому что — а на фига такое красть?.. Его машина выглядит, как вызов общественному мнению, как старые линялые джинсы на вручении отечественной кинопремии «Ника», где все вокруг в смокингах и «кисах». Однако Дуров, как никто другой, в джинсах на «Нике» смотрелся бы, они бы ему пошли, как идет ему и его машина. Он часто ставит ее в неположенном месте и, поскольку она не может не оскорблять глаза работникам ГАИ,— оставляет им на ветровом стекле записку шуточного содержания, подписывается «Лев Дуров», возвращается, видит там же оставленную ему от ГАИ записку, тоже с попыткой пошутить. Так и переписывается с ГАИ — через ветровое стекло.

Был у меня юбилей вместе с бенефисом в моем театре «Школа современной пьесы». Сначала мы быстренько, без антракта, сыграли спектакль «А чой-то ты во фраке?», потом был антракт, потом меня с семьей посадили в ложу и начался то ли концерт, то ли капустник, а я, как юбиляр и зритель, этому внимал. Надо сказать, с удовольствием, так как там выступали и Арканов, и Горин, и Кикабидзе, и Шифрин, и Задорнов, и Шендерович, и Дима Харатьян, и Марк Розовский, и Юрий Ряшенцев, в общем — сильный был концерт.

Но первым вышел Лев Дуров с моим бессменным соавтором по капустникам в Театре на Малой Бронной, Герой Мартынюком. И Дуров начал:

— Тут,— говорит,— за кулисами стоит куча насильно пригнанных друзей (ему свойственно всякий раз снижать пафос происходящего, он это называет словом «опустяшить». Он имеет на это полное право, так как этот прием чаще всего употребляет по отношению к себе). Так вот,— говорит,—

наш Театр (на Малой Бронной) всегда славился двумя вещами: во-первых, продолжительностью спектаклей (тут он повесил ненавязчивую паузу, словно подыскивая слова и давая залу возможность вспомнить, что «Идиот» идет три вечера подряд. Пауза была грамотная, что и говорить, в конце ее в зале стал нарастать хохот, на который Дуров и внимания-то не обратил), и, во-вторых, обилием литераторов и поэтов. Два лучших — перед вами.

Все говорилось очень серьезно и даже, якобы, с волнением литератора, который сейчас впервые обнародует новое произведение. Он объявил Геру, который прочел свой стишок. Гера тоже объявил:

— Поэт Лев Дуров.— И, вроде бы трепеща, Дуров прочел следующее лирическое четверостишие:

> Холодная весна, ну так и что ж.
> Не горбись, как старик, а прыгай, как мальчишка.
> И не забудь, конечно, про любовь.
> У Качана есть тоже кочерыжка.

Ключевое слово «кочерыжка» Дуров произнес про себя, грустно и слегка стесняясь. Хохот был страшный, хотя, если бы все это произнес кто-нибудь другой,— не вышло бы. Рифма «что ж» — «любовь» вызывает у меня некоторое сомнение, так безнаказанно рифмовать мог только Дуров, да и реприза про кочерыжку тоже носила несколько, как бы вам сказать, гривуазный характер, но повторяю: то, как он это делает, компенсирует все. Впрочем, я тут занимаюсь совсем глупым делом: пытаюсь на бумаге описать актерские финты Дурова. Нельзя этого делать — идите в театр и посмотрите сами.

Это его «опустяшивание», временами эпатаж, конечно же, родом из Лефортова, из его почти блатного детства. Когда он про это детство рассказывает, я начинаю понимать, что все случилось вопреки. Биография сделала какой-то странный зигзаг, и вместо того, чтобы стать лидером лефортовской братвы (у всех нормальных блатных — по одной кличке, у

Дурова было целых три: Швейк, Седой и Артист. Естественно, одной ему было мало), вместо того, чтобы иметь за плечами минимум три ходки, а на ноге — татуировку типа «750 дней без женской ласки», вместо всего этого он, поменяв положение пахана на авторитет просто папы девочки Кати, стал любимцем миллионов зрителей и порядочным семьянином.

Я мало видел людей, которые бы так, как он, обожали дом, жену, детей, потом внуков. Он им предан. Он говорит, что любовь — это забота, это обязанность, работа, если хотите. Дуровский клан, за которым я наблюдаю с удовольствием,— это такой монолит, по сравнению с которым любой сицилийский клан выглядит столь же прочным, как куча дохлых медуз, выброшенных на берег вчера при температуре плюс сорок градусов.

Однако привнесенное из детства озорство и даже хулиганство — всегда при нем. Один из любимых спектаклей в моей жизни — «А все-таки она вертится», который поставил Дуров. А я там играл директора школы. Там приглашенные ребята из детдома в прологе играли в футбол. Минут десять. А среди них шустро крутился народный артист СССР, который совершенно очевидно забывал, что в зале давно сидят зрители, и был поглощен только мячом (это объяснимо, потому что он в юности очень увлекался футболом и тогдашними футбольными успехами дорожит чуть ли не больше, чем, допустим, ролью в фильме «Не бойся, я с тобой»). Удовольствие получал и он, и зрители, видевшие Дурова в этом качестве.

А несколько ранее, когда меня только пригласили в Театр на Малой Бронной и я стал для знакомства смотреть их спектакли, первым делом пришел, естественно, на классический эфросовский спектакль «Женитьба». С женой пришел, все, как полагается, чтобы все как у людей было... Мы чинно уселись в третий ряд. Спектакль был в самом разгаре, когда еще лично не очень знакомый, но очень почитаемый мною артист Дуров ославил меня на весь зал. Когда там речь зашла о фамилии Яичница, Дуров, игравший, как известно,

Жевакина, говорит: «Однако, престранные фамилии иногда бывают», — перечисляет: такая-то, такая-то и в конце: «Качан, например». И в упор посмотрел в третий ряд. Гоголь этого текста не писал. А мне чуть дурно не стало (невольный каламбур, прошу прощения). Но позднее я понял, что Дурова без этого просто нет: где есть малейшая возможность пошалить и похулиганить, Дуров тут как тут. Розыгрыш — его стихия.

Он как-то на улице встретил артиста Бориса Химичева и полчаса ему очень серьезно объяснял, что затеял издание нового журнала о кино и театре, и просил Химичева войти в редколлегию. Он объяснял концепцию нового журнала, описывал обложку, называл авторов, которые уже согласились участвовать в его работе. И, наконец, когда Химичев уже был готов, только не знал, как задать решающий вопрос: «Сколько будут платить?», и задал пока другой: «А как будет называться журнал?» Дуров небрежно ответил: «Звезды и п..ды». Борис потом сетовал, что битый час позволял себя так дурачить.

Он всегда говорит, что маленький человек — это победитель. Должно быть, это справедливо, ибо как-то нужно компенсировать то, чего недоделала природа. Чем можно победить красивых и высоких? Только талантом и умением работать. И еще — совершать поступки, которые, собственно, и отличают мужчину от не совсем мужчины. Ну кто еще, скажите, едва выкарабкавшись из тяжелейшего инсульта, через месяц поедет на съемки, потому что группа, видите ли, простаивает без него? А еще, месяцем позже, уже опять будет играть рискованную для себя роль Санчо, чтобы театр больше не отменял спектакли? Да почти никто — большинство себя побережет.

А первые недели болезни даже лежит, дергаясь. Поминутно пытается вскочить и чего-нибудь изобразить, чем создает домашним дополнительные хлопоты и заставляет тренировать бдительность. Вечный двигатель — чего там... «Ума-то нету»,— как говорит его товарищ по фильму Михаил Евдокимов.

Если бы мне предложили определить его амплуа, я бы ради Дурова изобрел что-то новенькое, я бы сказал, что он — драматический клоун. То есть в себе сочетает качества и белого и рыжего клоунов. Счастливцева и Несчастливцева. Смешной, злой, вредный, всегда победитель — с одной стороны. И смешной (казалось бы!), однако вызывающий жалость и сострадание — с другой. Вот как его Жевакин в той же «Женитьбе». У вас отчего-то сжимается сердце, когда он в этой смешной ситуации говорит эти смешные слова. Он может быть и тем, и тем. Но — клоуном. И в этом ничего низкого, наоборот, это — высший пилотаж в актерской профессии,— не стесняться быть клоуном и одинаково сильно владеть и трагическим, и комическим. Это только не очень далекие люди, которых распирает от собственной значимости, говорят это слово с оттенком пренебрежения, например: «А что тут делает этот клоун?» Нет, клоун — это *очень* хорошо! Вот Феллини, например, чрезвычайно уважал клоунов. Он говорил: «Заставлять людей смеяться мне казалось всегда самым привилегированным из всех призваний, почти как призвание святого», и почти во всех его фильмах есть клоуны.

Пару лет назад в санатории «Актер» в Сочи (там, к слову, фантазию особенно не напрягают, там и санаторий — «Актер», и ресторан на территории — «Актер», и все прочее — «Актер») в столовой я увидел меню, в котором было одно блюдо с названием «котлета рубленая «Актер». Это уже не блюдо — это участь. И это впрямую относится к актеру Дурову. Рубленая, перерубленная эта котлета. Это участь, это доля, некоторые говорят — диагноз.

Но это — и счастье, которое посещает иногда в этой профессии. Бывают в ней, знаете ли, минуты, нет, даже секунды, когда ты вместе с твоим залом поднимаешься над злобой дня, и у вас у всех становятся одинаковые глаза. Как вы становитесь добры, умны и великодушны, как вы благородны сейчас! И вот тот молодой человек в пятом ряду пойдет сегодня и вдруг напишет письмо маме, которой не писал полгода. Кто-то именно сегодня не повысит голос на жену или сына (ну, не захочется отчего-то). Ты что-то сделал сегодня на сцене такое, что его остановит. Вот ради этих мгновений, наверное, мы и живем в этой профессии. Дурову они удавались чаще других, поэтому он и счастливый человек.

География его звания (народный артист СССР) формально сузилась до размеров России, а фактически — расширилась. Потому что он по-прежнему народный артист и Белоруссии, и Украины, и Казахстана, и Прибалтики, и Израиля, и США, и всех других стран, где любят и помнят артиста Дурова, драматического клоуна, хулигана, анекдотчика, своего в доску мужика для всех слоев населения, а потому — абсолютно *народного* артиста. Иногда, право, хочется сказать комплименты прямо в лицо, а то мы вечно делаем это за гробовой доской. Скорбно бубним: «От нас ушел замечательный артист». Нет, слава Богу, можно сказать: «Среди нас *живет* замечательный артист». Будьте к нему повнимательнее, чаще говорите ему, что вы его любите, ничего, ничего, не стесняйтесь, это *прижизненно* согревает сердце адресату ваших похвал.

Когда ему было пятьдесят, он притащил в театр свой большущий портрет, написанный кем-то в стиле портретной живописи XIX века. Там Дуров в позе графа Нессельроде (на его портретах) сидел и пристально в нас вглядывался. Мы выставили, по предложению Дурова, этот портрет перед входом в зрительный зал и, чтобы опустяшить (опять же!) помпезность позы и содержания, поместили внизу табличку с надписью: «Неизвестный художник XIX века. Портрет Дурова. Масло, 3 р. 60 к.— 1 кг». А поэт Ряшенцев и я сочинили романс, в конце которого было пожелание, «чтоб на вопрос: ну как делишки, Лева, ты б никогда не мог сказать... что плохо».

Вот, думаю, всем не хватает счастья. Кому больше, кому меньше, кто считает, что у него вообще счастья нет. А многие даже не знают, что это такое, и принимают за счастье «чувство глубокого удовлетворения» (по Брежневу). Но, может быть, его и не должно быть много? Семья, любимое дело и, наконец, это великолепное умение — заставлять людей смеяться... И быть среди них своим, близким... Может, больше и не надо ничего?.. Нет! Нехорошо! Одиноко как-то быть единственным вечным двигателем. Продолжим эту нехитрую метафору и добавим: вечным двигателем внутреннего сгорания, потому что так, как палит себя Дуров,— никто не умеет, да и конструктор этого вечного двигателя тоже один — изобрел самого себя в одном экземпляре... Хотя, правда, вот еще внук Ваня подрастает... Подает надежды... Так что посмотрим... Посмотрим...

Владимир Качан

ОТ АРАНЖИРОВЩИКА

Видит Бог, я не хотел засвечиваться до самого последнего. И тому были веские причины.

Во-первых, мне казалось нескромным примазываться к чужой славе. А популярность Льва Дурова вне всяких сомнений.

Во-вторых, я был категорически против таких казенных словосочетаний как «литературная запись» или «литературная обработка». Да и на самом деле не было ни того ни другого.

И, наконец, в-третьих, потому что во-вторых.

Как говорил Андрей Миронов Эфросу: «Я играл прекрасно, и Левочка мне не мешал». Так вот, перефразируя эту старую театральную шутку, я могу сказать: «Левочка рассказывал прекрасно, и я ему не мешал».

Смею утверждать, что у него свой, оригинальный, и разговорный и литературный стиль, по которому он всегда и узнаваем. Почти в каждой его фразе угадываются и жест, и мимика и даже мизансцена. И моя главная задача состояла в том, чтобы не нарушать естественность его игры, то есть не отвлекать его ни своим кашлем, ни чихом, ни сопением, ни скрипом кресла. Насколько мне это удалось, судить читателям.

Помните анекдот, где автор рассказал о человеке, которому нужно было в Алексеевку? «Тебе,» говорит человек мужику,— нужно было пятьсот рублей, мне нужно было в Алексеевку, а зачем мы брали с собой лошадь?»

Так вот Левочка, когда я не хотел засвечивать свою фамилию, тоже спросил меня:

— А что же ты тогда делал?

Тут я напомнил ему замечательную мысль великого русского композитора: «Музыку сочиняет народ, а мы ее только аранжируем» — и сказал:

— Ты — самый настоящий представитель народа, потому как у тебя даже официальное звание Народный артист — сочинил книгу, а я ее только аранжировал.

Это понравилось и ему, и издателям. На таком музыкальном определении мы, чтобы не ломать больше головы, и порешили.

И еще добавлю. В свое время я получил большое удовольствие от работы над книгой о Первом русском актере Федоре Волкове. Ничуть не лукавя, скажу, что не меньшее наслаждение я испытал, аранжируя эту книгу Льва Дурова — прекрасного Человека и замечательного русского Артиста, наследника волковских традиций.

Константин Евграфов

СОДЕРЖАНИЕ

Издательство "АЛГОРИТМ"
Цикл: О времени и о себе

Вниманию читателей!

В дополнение к уже знакомой Вам серии «Гений в искусстве», в которой выходят в основном книги исторического плана, издательство «Алгоритм» запускает в производство новый проект. В цикле книг под названием «О времени и о себе» о своей жизненной и творческой биографии расскажут наиболее известные *современные* деятели искусств: режиссеры, актеры и др. Книги отличают занимательность, искренность и исповедальность повествования.

Вышли книги:

И.СМОКТУНОВСКИЙ «БЫТЬ!»
Л. ДУРОВ «ГРЕШНЫЕ ЗАПИСКИ»

Следующей в цикле выходит книга:

Е. ПРОКЛОВА «В РОЛИ СЕБЯ САМОЙ»

Готовятся к изданию книги в этом цикле:

В.КОТЕНОЧКИНА, В.ЗОЛОТУХИНА,
О.СТРИЖЕНОВА, М.УЛЬЯНОВА,
В. ТИХОНОВА, В.ЛАНОВОГО...

Человека, не умеющего сказать "нет", можно превратить во что угодно

Заказ книг: 123308, Москва, а/я 31

Семья газет—
для всей
семьи!

АРГУМЕНТЫ
И ФАКТЫ

Подписка во всех отделениях связи

Издание книги
Льва Дурова
«Грешные записки»
осуществляется при содействии
Фонда «Регионы России»
Москва, Колпачный пер., д.5

ISBN 5-88878-022-7

9 785888 780223

Лев Константинович Дуров

ГРЕШНЫЕ ЗАПИСКИ

Редактор	Ульяшов П.С.
Технический редактор	Валов С.Л.
Набор и верстка	Кувшинников А.А.
	Синев В.В.
Художник	Гаямова В.М.

ТОО «Алгоритм»
123308, Москва, ул. Д. Бедного, д. 16.
Лицензия ЛР 063845 от 04.01.95
Наш а/я: 123308 г. Москва, а/я 31
По вопросам оптовых закупок: **197-3597**

Сдано в набор 15.01.99. Подписано в печать 01.02.99.
Формат 84×108/32. Бумага офсет. Гарнитура «Литературная».
П. л. 9+1 п. л. илл. Доп. тираж 5000 экз.
Заказ 1467.

Отпечатано в полном соответствии
с качеством предоставленных диапозитивов
в ОАО «Можайский полиграфический комбинат»
143200, г. Можайск, ул. Мира, 93.

151, 152 156, 160, 178
1-88